D1498685

키친

●

キッチン

by
Banana Yoshimoto

키친

요시모토 바나나

Banana Yoshimoto

김난주 옮김

민음사

차례

키친

　내가 이 세상에서 가장 좋아하는 장소는 부엌이다.

　그것이 어디에 있든, 어떤 모양이든, 부엌이기만 하면, 음식을 만들 수 있는 장소이기만 하면 나는 고통스럽지 않다. 기능을 잘 살려 오랜 세월 손때가 묻도록 사용한 부엌이라면 더욱 좋다. 뽀송뽀송하게 마른 깨끗한 행주가 몇 장 걸려 있고 하얀 타일이 반짝반짝 빛난다.

　구역질이 날 만큼 너저분한 부엌도 끔찍이 좋아한다.

　바닥에 채소 부스러기가 널려 있고, 실내화 밑창이 새카매질 만큼 더러운 그곳은, 유난스럽게 넓어야 좋다. 한 겨울쯤 무난히 넘길 수 있을 만큼 식료품이 가득 채워진 거대한 냉장고가 우뚝 서 있고, 나는 그 은색 문에 기댄다. 튀긴 기름으로 눅진한 가스 레인지며 녹슨 부엌 칼에서 문득 눈을 돌리면, 창 밖에서는 별이 쓸쓸하게 빛난다.

나와 부엌이 남는다. 나 혼자라고 생각하는 것보다, 아주 조금 그나마 나은 사상이라고 생각한다.

정말 기진맥진 지쳤을 때, 나는 문득 생각에 잠긴다. 언젠가 죽을 때가 오면, 부엌에서 숨을 거두고 싶다고. 홀로 있어 추운 곳이든, 누군가 있어 따스한 곳이든, 나는 떨지 않고 똑바로 쳐다보고 싶다. 부엌이면 좋겠는데, 라고 생각한다.

다나베네 집에 신세를 지게 되기 전까지, 나는 매일 부엌에서 잠들었다.

방에서는 잠들기가 어려워 점점 편한 곳으로 흐르다보니, 어느 날 아침, 냉장고 옆이 가장 잠자기 편한 곳이라는 것을 깨닫게 되었다.

나, 사쿠라이 미카게의 부모는 젊은 나이에 나란히 죽었다. 그래서 할아버지 할머니가 나를 길러주었다. 중학교에 들어갈 무렵, 할아버지가 죽었다. 그후 내내 할머니와 둘이서 살았다.

며칠 전, 할머니가 죽었다. 깜짝 놀랐다.

확실하게 존재하였던 가족이란 것이, 세월을 두고 한 명 두 명 줄어들어, 지금은 나 혼자라 생각하니 눈앞에 있는 모든 것이 거짓말처럼 보였다. 이렇게 시간이 흘러, 태어나고 자란 방에 나 혼자 있다니, 놀랍다.

무슨 SF같다. 우주의 어둠이다.

장례식을 치르고 난 뒤 한 사흘은 멍하고 지냈다.

눈물도 마른 포화 상태의 슬픔이 흔히 동반하는 나른한 잠의 꼬리에, 조용한 부엌에 요를 깔았다. 라이너스처럼 담요를 둘둘 말고 잠든다. 위—잉, 냉장고 소리가 내 고독한 사고를 지켜주었다. 그곳에서는, 그럭저럭 평온하게 긴 밤이 가고, 아침이 와주었다.

다만 별 아래서 잠들고 싶었다.

아침 햇살에 눈뜨고 싶었다.

그 외의 모든 것에는 그저 담담했다.

그런데! 그러고 있을 수만은 없었다. 현실은 무지막지하다.

할머니가 다소 돈을 남겨주기는 하였지만, 혼자서 살기에 그 방은 너무 넓고 너무 비싸서, 나는 다른 방을 찾지 않으면 안 되었다.

할 수 없이, 주택 정보지를 사서 들춰보았지만, 그렇게 많은 똑같은 방들을 보고 있자니, 어질어질 현기증이 일었다. 이사는 노동이다. 힘이다.

나는 기력도 없고, 밤낮 부엌에서 잠을 잤더니 온몸 마디마디가 아픈데, 이런 휘청거리는 머리로 정신을 차리고, 집을 보러 가야 하다니! 짐을 날라야 하다니! 전화를 연결해야 하다니!

끝도 없이 떠오르는 성가신 일들을 생각하며 절망하여 뒹굴뒹굴 자고 있는데, 기적이 찹쌀 경단처럼 찾아온 그 오후를, 나는 또렷이 기억하고 있다.

딩동, 느닷없이 현관 벨이 울렸다.

구름진 봄날의 오후였다. 나는 주택 정보지를 보다가 지쳐, 어차피 하는 이사다 싶은 마음에 잡지를 끈으로 묶는 작업에 열중하고 있었다. 당황하여 거의 잠옷 같은 차림으로 뛰어나가, 아무 생각 없이 잠금쇠를 풀고 문을 열었다. (강도가 아니라서 정말 다행이었다.) 문 밖에는 다나베 유이치가 서 있었다.

「지난번에는 고마웠어요」

라고 나는 말했다. 장례식을 열심히 거들어준, 한 살 아래 청년이었다. 듣자하니 같은 대학에 다닌다고 한다. 나는 지금 휴학중이다.

「천만에요」 그가 말했다.

「살 데 정해졌나요?」

「아니, 전혀」

나는 웃었다.

「역시」

「들어와서 차라도 마셔요」

「아닙니다. 지금 나가는 길이라 시간이 별로 없어요」
그는 웃었다.

「전할 말이 있어서, 어머니랑 의논했는데, 당분간 우리 집에 와 있지 않겠어요?」

「네?」

나는 말했다.

「아무튼 오늘밤, 7시쯤에 오세요. 이거, 지도」

「네에」

나는 메모지를 받았다. 어안이 벙벙하였다.

「그럼, 미카게 씨가 와주길, 어머니나 저나 기다리고 있을 테니까요」

그가 웃었다. 너무도 환하게 웃어, 현관에 선 그 사람의 눈동자가 한층 가깝게 느껴졌다. 눈길을 돌릴 수가 없었다. 그가 갑자기 이름을 부른 까닭도 있으리라 생각한다.

「……그럼, 아무튼 갈게요」

나쁘게 말하면, 마(魔)가 낀 것이리라. 하지만 그의 태도는 아주 〈쿨〉했다. 믿음직스러웠다. 눈앞의 어둠 속

으로, 마가 낄 때면 늘 그렇듯, 외길이 보였다. 하얗게
빛나고, 틀림없을 듯 보인 나는 그렇게 대답하였다.

그는, 그럼 나중에, 라고 말하고 웃으며 돌아섰다.

나는, 할머니의 장례식을 치르기 전까지는 거의 그를
몰랐다. 장례식 날, 다나베 유이치가 불쑥 찾아왔을
때, 나는 그가 정말 할머니의 애인인 줄 알았다. 분향을
하면서 그는, 퉁퉁 부어오른 눈을 꾹 감고 손을 떨었다.
할머니의 영정을 보자, 다시 눈물을 뚝뚝 흘렸다.

나는 그런 그의 모습을 보면서, 혹 내가 이 사람만큼
할머니를 사랑하지 않은 것은 아닐까 싶었다. 그만큼 슬
프게 보였다.

그리고 손수건으로 눈두덩을 누르면서,

「제가 좀 거들게요」

라고 하기에, 그후, 여러 가지로 도움을 받았다.

다나베 유이치.

할머니한테서 그 이름을 들은 적이 있는지 기억해 내
는 데 시간이 꽤 걸렸다. 혼란스러웠던 것이리라.

그는 할머니가 단골로 찾는 꽃집에서 아르바이트를 하
는 사람이었다. 참한 청년이 있는데, 다나베 군이 말이
지, 오늘도…… 란 말을 몇 번이나 들은 기억이 있다.
할머니는 꽃꽂이를 좋아하여 항상 부엌에 꽃이 끊이지

않았다. 매주 두 번은 꽃집에 드나들었다. 그러고 보니, 그가 커다란 화분을 들고 할미니를 따라 우리 집에 온 적이 있는 것 같기도 하다.

그는 손발이 길고 얼굴 생김도 예쁘장한 청년이었다. 성품이야 어쩐지 알 수 없었지만, 꽃집에서 열심히 일하는 모습을 본 듯한 기분도 든다. 조금 알게 된 후에도, 그의 그 왠지 〈쌀쌀한〉 인상은 변함이 없었다. 몸짓이며 말투가 아무리 상냥해도, 그는 늘 혼자 살고 있으리란 느낌을 주었다. 즉 그 정도 사이에 불과했다. 전혀 남남이었다.

밤은 비였다. 추절추절, 뜨끈한 봄비가 도시를 감싸 뿌연 봄날의 밤을, 지도를 보며 걸었다.

다나베네 아파트는, 우리 집에서 중앙 공원을 끼고 정반대편이었다. 공원을 지나는 길은, 무성한 밤의 초록 내음으로 숨이 다 답답했다. 비에 젖어 번들번들 무지갯빛으로 번지는 오솔길을 처벅처벅 걸어갔다.

나는 솔직하게 말해, 오라고 해서 가는 것뿐이었다. 아무 생각도 없었다.

그 높이 우뚝 솟은 아파트를 올려다보자, 그의 방이 있을 10층이 너무 높아, 밤풍경이 아름답게 보이겠지 하고 생각하였다.

엘리베이터에서 내려 복도로 울려퍼지는 발소리에 신

경을 쓰면서 벨을 누르자 유이치가 문을 휙 열고,

「어서 오세요」

라고 말했다.

실례합니다, 라고 말하며 들어선 그곳은, 정말이지 묘한 공간이었다 .

우선, 부엌과 이어져 있는 거실에 덩그마니 놓여 있는 거대한 소파가 눈에 들어왔다. 그것은 넓은 부엌의 찬장을 배경으로, 테이블도 없이 카펫도 깔리지 않은 바닥위에 덜렁 놓여 있었다. 베이지 색 천에, 텔레비전 광고에 나올 법한, 온 가족이 모여 앉아 텔레비전을 보고, 곁에는 일본에서는 기르지도 못할 만큼 큰 개가 있는, 그런, 정말 멋진 소파였다.

베란다가 보이는 커다란 창문 앞에는, 마치 정글처럼 무성하게 자란 식물 군이 담긴 화분이며 플랜터가 죽 놓여 있었다. 집 안에도 꽃투성이었다. 여기저기 다양한 꽃병에 봄꽃들이 장식되어 있었다.

「어머니는 지금, 가게에서 잠깐 빠져나오겠다고 하니까, 집 안이라도 둘러봐요. 안내할까요? 뭐로 판단하는 타입이죠?」

차를 따르면서 유이치가 말했다.

「뭘요?」

내가 그 푹신한 소파에 앉아 되묻자,

「집과 그 집에 사는 사람의 취향. 화장실을 보면 안다든지, 흔히 그런 말들 하잖아요」

그는 담담하게 웃으면서, 차분하게 말하는 사람이었다.

「부엌」

이라고 나는 말했다.

「그럼, 여기로군요. 마음대로 봐요」

그가 말했다.

나는 차를 끓이는 그의 뒤로 돌아 부엌을 찬찬히 들여다보았다.

마룻바닥에 깔린 깔끔한 매트, 유이치가 신고 있는 슬리퍼의 고급스러움——필요한 최소한의 부엌 용품들이 반듯하게 걸려 있다. 오랜 세월 길들여진 도구들. 실버스톤 프라이팬과 독일제 껍질 벗기기 칼은 우리 집에도 있었다. 게으름뱅이 할머니가 껍질이 술술 벗겨지자 신나했었다.

조그만 형광등 불빛을 받으며 얌전하게 자기 차례를 기다리는 식기류, 빛나는 유리 잔. 언뜻 보면 하나도 일관성이 없는데, 묘하게도 품위 있는 것들뿐이었다. 특별한 요리를 만들기 위한…… 예를 들어 사발, 그래탱 접시, 큰 접시, 뚜껑 달린 맥주 조끼, 그런 것들도 보기 좋았다. 조그만 냉장고도, 유이치가 괜찮다고 하여 열어보니, 반듯하게 정리되어 있었고, 넣어놓은 채 방치본

식품은 없었다.

음음, 고개를 끄덕거리며 둘러보았다. 멋진 부엌이었다. 나는, 그 부엌을 한눈에 사랑하게 되었다.

돌아와 소파에 앉자, 유이치가 뜨거운 차를 따라주었다.

처음 방문하는 집에서, 지금까지 별로 만난 적도 없는 사람과 마주하고 있자니, 왠지 천애 고아가 된 듯한 기분이 들었다.

어둠 속에서 비에 젖은 밤풍경이 번져 있는 커다란 유리창, 에 비치는 자신과 눈이 마주친다.

세상에, 나와 핏줄이 닿는 인간은 없고, 어디에 가든 무엇을 하든 모두 가능하다니 아주 호쾌했다.

세상은 이렇게 넓고, 어둠은 이렇게 깊고, 그 한없는 재미와 슬픔을, 나는 요즘 들어서야 비로소 내 이 손으로 이 눈으로 만지고 보게 된 것이다. 지금까지, 한쪽 눈으로만 세상을 보아왔어, 라고 나는 생각한다.

「왜, 나를 부른 거죠?」

내가 물었다.

「힘들 것 같아서」

그는 눈을 가늘게 뜨고 상냥하게 말했다.

「할머니가 정말 귀여워해 주셨고, 보다시피 쓰지 않는

공간도 꽤 많고 해서. 그 집에서 나와야 되잖아요? 이
제」

「그래요. 지금 주인이 호의를 베풀어, 덕분에 눌러 있
기는 하지만」

「그러니까, 사용해 주었으면 해서요」

그는 아주 당연한 일이라는 듯 말했다.

그의 그런 태도가 너무 친절하지도 너무 쌀쌀맞지도
않아 오히려 지금의 나를 부드럽게 어루만지는 듯하였
다. 왠지, 눈물이 나올 정도로 마음이 저몄다. 그리고
바로 그때 문이 덜컹 열리고, 무지무지한 미인이 숨을
헉헉거리며 뛰어들어왔다.

나는 놀라 눈을 부릅뜨고 말았다. 나이는 꽤 많은 것
같은데, 그 사람은 정말 아름다웠다. 일상적으로는 입기
어려운 복장과 짙은 화장으로, 나는 그녀의 직업이 밤일
이라는 것을 금방 알아차렸다.

「사쿠라이 미카게 씨야」

유이치가 나를 소개하였다.

그녀는 헉헉 숨을 쉬며 약간 쉰 목소리로,

「처음 뵙네요」라며 웃었다.

「유이치의 엄마, 에리코라고 해요」

이 사람이 엄마?

나는 놀란 이상으로 눈길을 뗄 수가 없었다. 어깨까지

내려오는 하늘하늘한 머릿결, 눈꼬리가 약간 찢어진 눈에 깊은 빛을 발하는 눈동자, 도톰한 입술, 뾰족한 콧날 ──그리고, 그 전체가 빚어내고 있는 생명력의 흔들림 같은 선명한 빛──인간 같지 않았다. 이런 사람은 본 적이 없다.

나는 무례할 정도로 힐금힐금 쳐다보면서

「안녕하세요」

라고 인사하고 미소를 띠기가 고작이었다.

「내일부터 잘 부탁해요」

그녀는 나에게 상냥하게 말하고는 유이치를 쳐다보았다.

「미안, 유이치. 빠져나올 수가 없었어. 화장실에 간다고 거짓말하고 막 뛰어왔다. 아침에는 시간 낼 수 있으니까, 미카게 씨 자고 가라고 하려무나」

그녀는 급하게 말하고는, 빨간 드레스 자락을 팔락이며 현관으로 종종 걸었다.

「그럼, 제가 차 태워드릴게요」

라고 유이치가 말하고,

「미안해요, 나 때문에」

라고 내가 말했다.

「아니야, 손님이 그렇게 많을 줄 몰랐지. 나야말로 미안해요. 자 그럼 내일 아침에!」

그녀가 굽 높은 하이힐을 신고 뛰어나가자, 유이치가,

「텔레비전이라도 보고 있어요!」라며 그 뒤를 좇아나
갔다.

나 혼자 덩그마니 남았다.

——꼼꼼 보면 그 나이에 걸맞는 주름과, 고르지 못한
치열과, 인간다운 부분이 느껴졌다. 그럼에도 그녀는 압
도적이었다. 다시 한번 만나고픈 생각이 들게 하였다.
마음속에서 따뜻한 빛이 잔상처럼 여리게 반짝거려, 그
게 매력인 모양이라고 느꼈다. 처음으로 물이란 것을 안
헬렌처럼, 언어가 눈앞에서 살아 신선하게 움틀거렸다.
과장이 아니고, 그 정도로 경이로운 만남이었다.

찰랑찰랑, 차 키 소리를 내며 유이치가 돌아왔다.

「10분밖에 빠져나올 수 없으면, 전화를 할 것이지」

현관에서 신발을 벗으며 그가 말했다.

나는 소파에 앉은 채 그냥,

「네에」

라고만 말했다.

「미카게 씨, 우리 엄마 보고 쫄았어요?」

그가 물었다.

「네, 너무너무 예쁘잖아요」

나는 정직하게 말했다.

유이치가 웃으면서 들어와, 내 눈 바로 앞 바닥에 앉아 말했다.

「성형 수술 했는걸요, 뭐」

「뭐라구요」

나는 짐짓 아무렇지도 않게 말했다.

「얼굴이 너무 안 닮았다는 느낌은 들었는데」

「그런 데다, 눈치챘어요?」

정말 이상하다는 듯 그가 말을 이었다.

「그 사람, 남자예요」

이번에는 평정을 가장할 수가 없었다. 나는 눈을 크게 뜬 채 아무 말도 못하고 그를 빤히 쳐다보았다. 에이 참, 농담이라니까, 란 말을 기다렸다. 그 가느다란 손가락, 몸짓, 차림새가? 나는 그 아름다운 얼굴을 떠올리면서 숨을 죽이고 기다렸지만, 그는 신난다는 표정일 뿐 아무 말이 없었다.

「하지만, 엄마라고, 엄마라고 했잖아요!」

「미카게 씨 같으면 그런 사람보고 아버지라고 할 수 있겠어요?」

그는 침착하게 그렇게 말했다. 듣고 보니 정말 그랬다. 충분히 납득할 수 있는 대답이었다.

「그럼, 에리코란 이름은?」

「가짜죠. 진짜 이름은 유지라든가, 뭐 그렇대요」

나는 정말 눈앞이 하얘지는 것 같았다. 그리고 간신히 자초지종을 물을 태세를 갖추어, 물었다.

「그럼, 유이치 씨를 낳은 사람은 누구죠?」

「옛날에는 그 사람도 남자였어요」

그가 말했다.

「아주 젊었을 때 말이에요. 그리고 결혼도 했죠. 그 상대방 여자가 나를 낳은 진짜 엄마예요」

「어떤…… 사람이었을까」

나는 상상할 수 없었다.

「나도 기억 못해요. 너무 어렸을 적에 죽어서. 사진은 있는데, 볼래요?」

「네」

내가 고개를 끄덕이자 그는 앉은 채 자기 가방을 찍 잡아당겨, 지갑 안에서 낡은 사진을 꺼내 내게 건넸다.

뭐리 말로 형용하기 어려운 얼굴이었다. 짧은 머리, 조그만 눈과 코. 기묘한 인상에, 나이를 짐작할 수 없는 여성의……. 내가 잠자코 말이 없자,

「굉장히 이상한 사람이죠?」

라고 그가 말했다. 나는 난감하여 피식 웃었다.

「아까 그 에리코 씨는 말이죠, 무슨 사정인지는 몰라도, 어려서부터 이 사진 속의 엄마네 집에서 죽 자랐대요. 남자였던 때에도 상당한 미남이라 꽤나 인기가 좋았

던 모양인데, 어떻게 하다가 이 이상하게 생긴 엄마한테 무지무지하게 집착하게 되어서, 은혜를 저버리고 둘이 도망쳤다더군요」

그가 미소지으며 사진을 보았다.

나는 고개를 끄덕였다.

「이 엄마가 죽은 후에, 에리코 씨는 하던 일을 그만두고, 어린 나를 안고, 뭘해서 먹고 살까 생각하다가, 여자가 되기로 결심했대요. 더 이상 아무도 좋아할 수 없을 것 같아서. 여자가 되기 전에는 굉장히 말이 없는 사람이었던 모양이에요. 어정쩡한 것은 싫어하는 사람이라, 얼굴이며 뭐며 싹 수술하고, 남은 돈으로 가게를 하나 마련하여, 나를 길렀죠. 여자 혼자 힘으로, 라고 하나, 이런 경우에도?」

그가 웃었다.

「괴, 굉장한 생애네」

내가 말했다.

「살아 있는 사람이에요」

라고 그가 말했다.

믿을 수 있을까, 아직도 뭐가 숨겨져 있을까, 이 사람들에 대해서는 들으면 들을수록 알 수가 없었다.

그러나 나는 부엌을 믿었다. 그리고 닮지 않은 이 부자간에는 공통점이 있었다. 웃는 얼굴이 부처님처럼 반짝이는 것이다. 나는 그 점에 무척 호감을 품고 있었다.

「내일 아침에는 나 없으니까, 있는 것 아무거나 써요」
유이치는 졸린 모양인가, 이불이며 베개를 껴안고 샤워를 사용하는 법, 수건이 있는 장소들을 설명하였다.

자기네 이야기(굉장한)를 들은 후, 별다른 생각도 없이 유이치와 비디오를 보면서 꽃집 이야기며 할머니 이야기를 하다가 시간이 훌쩍 지나가 버리고 말았다. 지금은, 한밤의 1시다. 그 소파는 아주 푸근했다. 일단 앉으면 두 번 다시 일어나고 싶지 않을 만큼 폭신하고 깊고 넓었다.

「가구 매장에서 슬쩍 앉아보고는, 갖고 싶은 걸 도무지 참을 수 없어서 산 거 아니에요?」

「옳으신 말씀」

그가 말했다.

「그 사람, 충동 하나로 살아왔으니까. 그걸 실현하는 힘이 있으니, 굉장하죠」

「그렇네요」

「그러니까, 이 소파는 당분간 미카게 씨 차지예요. 쓸모가 있어서 정말 다행이로군」

그가 말했다.

「나, 정말 여기서 자도 괜찮아요?」

나는 아주 은근하게 물었다.

「네」

그는 분명하게 대답했다.

「……황송하네」

라고 나는 말했다.

그는 한 차례 설명을 끝내자 잘 자라 말하고 자기 방으로 돌아갔다.

나도 잠이 왔다.

타인의 집에서 샤워를 틀어놓고, 뜨거운 물 속에서 지금 내가 무슨 짓을 하고 있는 거지, 하고 생각하였다.

빌린 잠옷으로 옷을 갈아입고, 조용한 실내로 발을 내디뎠다. 차박차박 맨발로 부엌을 다시 한번 보러간다. 역시 멋진 부엌이다.

그리고, 오늘밤 나의 잠자리가 될 그 소파로 다가가, 불을 껐다.

창가에서, 희미한 불빛에 드러난 식물들이 화려한 밤 풍경에 에워싸여 소리 죽여 숨쉬고 있었다. 밤풍경 —— 비가 그친 지금, 습기를 머금은 투명한 대기 속에서 반짝반짝 아름답게 빛나고 있다.

나는 담요를 둘둘 말고, 오늘밤도 부엌 옆에서 자는

게 우스워 웃었다. 그러나 외롭지는 않았다. 나는 기다리고 있었는지도 모른다. 지금까지의 일들과 앞으로의 일들을 잠시나마 잊을 수 있는, 그런 잠자리만 바라고 기다리고 있었는지도 모른다. 옆에 사람이 있으면 외로움이 커지니까 안 된다. 하지만 부엌이 있고, 식물이 있고, 같은 지붕 아래 사람이 있고, 조용하고…… 최고다. 여긴 최고다.

나는 안심하고 잠들었다.

물소리에 잠이 깼다.

눈부신 아침이었다. 부스스 눈을 뜨자, 부엌에, 〈에리코 씨〉의 뒷모습이 있었다. 어제에 비하면 수수한 복장이었다.

「잘 잤어요?」

라며 돌아보는 그 얼굴이 한결 화려하여, 나는 화들짝 잠이 다 달아나고 말았다.

「잘 주무셨어요?」

그녀는 냉장고 문을 열고 난감하다는 표정이었다. 나를 보더니,

「나 늘, 아직 자고 있을 시간인데 어찌된 건지 배가 고파서……. 그런데 이 집에는 먹을 게 하나도 없다니까. 뭐 시키려고 하는데, 먹고 싶은 거 있어?」

라고 말했다.

「제가 만들까요?」

「정말?」이라고 말한 후, 그녀는 「아직 잠도 안 깼는데, 칼 쥘 수 있겠어?」라고 불안하다는 듯 말했다.

「괜찮아요」

온 방안이 온실처럼 빛으로 가득했다. 달콤한 푸른색 하늘이 끝없이 내다보여, 눈부셨다.

마음에 드는 부엌에 선 기쁨에 잠이 달아나자, 불현듯, 그녀가 남자라는 사실이 떠오르고 말았다.

나는 자기도 모르게 그녀를 보았다. 폭풍우처럼 데자뷰가 덮쳐온다.

빛, 쏟아지는 아침 햇살 속에서, 먼지 끼고 나무 냄새 나는 바닥에 쿠션을 깔고 누워, 텔레비전을 보고 있는 그녀가 무척이나 정겨웠다.

그녀는 내가 만든 계란죽과 오이 샐러드를 신나게 먹어주었다.

한낮, 대기는 봄답게 따끈하고, 밖에서는 아파트 놀이터에서 재잘대는 아이들 소리가 들려온다.

창가의 초목은 부드러운 햇살에 싸여 선명한 초록으로 빛나고, 저 먼 엷은 하늘에는 구름이 천천히 흘러간다.

느긋하고 평온한 낮이었다.

어제 아침까지는 상상도 할 수 없었던, 알지 못하는 사람과의 뒤늦은 아침 식사 장면을 나는 아주 신기하게 느꼈다.

테이블이 없어 바닥에다 음식이며 그릇을 죽 늘어놓고 먹었다. 유리잔에 빛이 비쳐, 시원한 일본차의 초록 그림자가 바닥에서 흔들렸다.

「유이치가 말이지」

에리코 씨가 갑자기 나를 빤히 쳐다보며 말했다.

「옛날에 기르던 논짱하고 미카게 씨하고 아주 많이 닮았다고 했는데, 정말 닮았어」

「논짱이라뇨?」

「멍멍이」

「네에」 멍멍이.

「그 눈의 분위기하며, 머리칼하며……. 어제 처음 봤을 때, 웃음이 터져나올 뻔했다니까. 정말이야」

「그래요?」

그럴 리 없겠지만, 세인트 버나드 같은 종류였으면 어쩌나 싶었다.

「논짱이 죽었을 때, 유이치는 밥도 못 먹었어. 그래서 미카게 씨가 남 같지 않은 모양이야. 남녀의 사랑인지 어쩐지는 잘 모르겠지만」

유이치의 엄마가 키득키득 웃었다.

「고맙네요」

「할머니한테도 사랑 많이 받았다면서?」

「네. 할머니는 유이치 씨를 아주 좋아하셨어요」

「걔 말이지, 누가 달라붙어 돌봐주지 않아서 부족한 데가 많아」

「부족한 데?」

「음」

그녀는 엄마답게 미소지으며 말했다.

「정서적으로도 엉망진창이고, 대인 관계도 좀 차갑고, 여러 가지로 어설프지만…… 자상하고 친절한 애로 키우고 싶어서, 그 점만은 필사적으로 노력했지. 걔, 자상한 애야」

「네, 알고 있어요」

「미카게 씨도 꽤 자상한 사람이야」

그녀 안의 그가 싱글싱글 웃고 있었다. 텔레비전에서 흔히 보는 뉴욕의 게이들처럼, 웃는 얼굴이 나약하게 보이기는 하였다. 그러나, 그렇다고 단정짓기에 그녀는 너무 강했다. 그 깊은 매력이 너무도 강렬하여, 오늘날의 그녀를 만들었다. 죽은 아내도, 아들도 본인조차 막을 수 없었으리란 기분이 들었다. 그녀한테는 그런 일들에 동반되는, 침잠된 고독이 배어 있었다.

그녀는 오이를 아삭아삭 씹으면서 말했다.

「이런 말하면서 속마음은 다른 사람들 많지만, 정말 있고 싶을 때까지 있어도 돼요. 미카게 씨가 좋은 사람이란 거 나 믿고 있으니까, 난 진심으로 환영해. 갈 데가 없다는 건, 상처 입었을 때는 특히나 힘들지. 아무쪼록 안심하고 이용해 줘요, 응?」

그녀는 나의 눈동자를 들여다보며 그렇게 확언하였다.

「……방세는 내겠어요」

나도 모르게 목이 메어, 온 힘으로 말했다.

「살 집을 찾을 때까지, 여기 있게 해주세요」

「그런 건 괜찮아. 신경 쓰지 말고, 그보다 가끔, 죽 만들어주면 돼. 유이치가 만든 것보다 훨씬 맛있었거든」

그녀가 웃었다.

나이 든 사람과 둘이서 산다는 것은 아주 불안한 일이다. 건강하면 할수록 더욱 그렇다. 실제로 할머니와 둘이 살 때는 그런 생각 할 겨를도 없이 재미있게 지냈는데, 지금 돌이켜보면 그런 생각이 절실하다.

나는 늘 〈할머니가 죽는 게〉 무서웠다.

내가 집으로 돌아오면 할머니는 텔레비전이 있는 다다미방에서 나와, 어서 오너라라고 말한다. 귀가가 늦을 때에는 항상 케이크를 사들고 들어갔다. 외박이든 무슨 일이든 말만 하면 화내지 않는 너그러운 할머니였다. 잠들기 전 우리는 때로는 커피와 함께, 때로는 녹차와 함께 케이크를 먹고, 텔레비전을 보면서 한가로운 한때를 보냈다.

어렸을 적부터 하나도 변한 게 없는 할머니의 방에서, 별 쓸 데 없는 세상 이야기며 연예계 이야기, 그날 하루에 생긴 일들을 두런두런 얘기했다. 그런 때 유이치에 관한 이야기도 들은 듯하다.

아무리 열심히 사랑에 빠져 있어도, 아무리 술을 마셔 혼곤히 취해 있을 때에도, 나는 오직 하나뿐인 가족을 잊지 않았다.

방 한 구석에서 숨쉬며 살아 있는, 밀려오는 그 소름 끼치는 고적함, 어린애와 노인네가 애써 명랑하게 생활해도 메울 수 없는 공간이 있다는 것을, 나는 누가 가르쳐주지 않았는데도 일찌감치 깨닫고 말았다.

유이치도 그럴 것이라고 생각한다.

암울하고 쓸쓸한 이 산길에서, 내가 할 수 있는 오직한 가지가 빛나는 것이란 걸 안 때가 언제였을까. 사랑받으며 컸는데, 늘 외로웠다.

──언젠가는 모두가 산산이 흩어져 시간의 어둠 속으로 사라져버린다.

그렇다는 것이 여실히 새겨진 눈으로 걷고 있다. 유이치가 나에게 반응한 것은 어쩌면 당연한 일인지도 모른다.

……이렇게 나는 더부살이 생활에 돌입하였다.

나는 나 자신을 5월이 올 때까지 어영부영 느슨하게 지내도록 놔두었다. 그랬더니 극락처럼 매일이 편안했다.

아르바이트는 빠짐없이 다녔지만, 나머지 시간에는 청소하고 텔레비전 보고 케이크를 굽고, 주부 같은 생활을 하였다.

마음으로 조금씩 빛과 바람이 통하여, 기뻤다.

유이치는 학교와 아르바이트 사이를 오가고, 에리코 씨는 주로 밤에 일을 하기 때문에 식구가 한 자리에 모이는 일은 거의 없었다.

처음 한동안 나는 그 열린 생활 공간에서 자는 데 적응하지 못했다. 조금씩이라도 짐을 옮기려, 원래의 내 방과 유이치네 집을 오가는 일도 힘들었다. 하지만 금방 익숙해졌다.

그 부엌과 마찬가지로 나는 다나베네 소파를 사랑하였다. 그곳에서는 잠을 만끽할 수 있었다. 풀과 꽃의 숨소리를 들으며, 커튼 너머 밤풍경을 느끼면서 사르르 잠들었다.

지금, 더 이상 원하는 것이 생각나지 않으니 나는 행복했다.

늘 그렇다. 나는 항상 한계점까지 다다르지 않으면 움직이지 못한다. 이번에도 정말 아슬아슬한 시점에서 이렇게 따스한 침대가 주어진 것을, 나는 있는지 없는지 모르는 신에게 감사하고 있다.

어느 날, 나는 아직 남아 있는 짐을 정리하기 위하여 내 방으로 갔다.

문을 열 때마다 소름이 끼쳤다. 살지 않은 때부터 그곳은 마치 다른 사람 같은 얼굴이었다.

소리 하나 없이 어둡고, 아무것도 숨쉬지 않았다. 낯익어야 할 모든 것이 마치 모른 척 시치미를 떼고 있는 것 같지 않은가. 나는 다녀왔습니다란 말보다 실례하겠습니다라 말하고 조심조심 들어가고 싶어진다.

할머니가 죽자, 이 집의 시간도 죽었다.

나는 정말 그렇게 느꼈다. 이제 나는 아무것도 할 수 없다. 이 집을 나가는 것 외에 무엇 하나——나도 모르게 콧노래를 흥얼거리며 냉장고를 닦았다.

그러자 전화 벨이 울렸다.

그러려니 하고 수화기를 들었는데, 역시 소타로가 건 전화였다.

그는 옛날…… 내 애인이었다. 할머니의 병세가 악화되었을 무렵, 헤어졌다.

「여보세요? 미카게?」

눈물이 스밀 정도로 반가운 목소리였다.

「오랜만이네!」

힘찬 목소리로 내가 말했다. 이미 부끄러움이라든가 허영을 넘어선, 하나의 병이라고 생각된다.

「학교에서 안 보이길래 무슨 일인가 싶어서 이리저리 물어보았더니, 할머니가 돌아가셨다잖아. ……힘들었지?」

「응. 그래서 좀 바빴어」

「지금, 나올 수 있어?」

「응」

약속을 하면서 문득 얼굴을 들자, 창 밖은 무거운 회색이었다.

바람이 불고, 맹렬하게 흘러가는 구름의 파도가 보였다. 이 세상에는, 슬픈 일 따위, 아무것도 없다. 하나도 존재하지 않는다.

소타로는 공원을 아주 좋아하는 사람이었다.

그는 아무튼 녹음이 있는 장소를, 열린 경치를, 야외를 좋아하여, 학교에서도 운동장 옆 벤치니 잔디밭을 즐겨 찾았다. 그를 찾으려면 녹음 속을, 이란 말이 전설처럼 떠돌 정도였다. 그는 장래 식물에 관계된 일을 하고 싶다 하였다.

아무래도 나는 식물과 관계된 남자와 인연이 있는 모양이다.

평화로웠던 시절의 나와, 평화롭고 명랑한 그는, 그림처럼 완벽한 한 쌍이었다. 그의 그런 취미 때문에 우린 한 겨울에도 약속 장소를 공원으로 정하곤 했는데, 내가 늦는 일이 너무 많아 미안해서 공원 옆에 있는 그저 넓기만 한 찻집으로 타협을 보았다.

그리하여 오늘도, 소타로는 그 넓은 찻집에서 제일 공원 쪽에 가까운 자리에 앉아 밖을 보고 있었다.

전면이 유리인 창 밖으로 온통 구름진 하늘과 바람에 일렁이는 나무들이 보였다. 오가는 웨이트리스 사이로 그에게 다가가자, 그가 알아보고 웃었다.

그를 마주하고 앉아,

「비가 오려나」

라고 내가 말하자,

「글쎄, 개지 않을까」

라고 소타로가 말했다.

「오랜만에 만났는데, 왜 날씨 얘기를 하고 있는 거지」

그의 웃는 얼굴에 안심하였다.

마음을 열 수 있는 상대와 마시는 오후의 차 한 잔은 정말 좋다. 나는 그의 잠든 모습이 어이없을 만큼 흉측하다는 것도 알고 있고, 커피에다는 설탕도 듬뿍 크림도 듬뿍 넣는 습관이며, 자고 일어나 뒤엉킨 머리칼을 매만지려 드라이를 하는 바보처럼 성실한 거울 속의 얼굴도 알고 있다. 그와 정말 친하게 지내던 무렵 같았으면 나는 지금, 냉장고를 닦느라 벗겨진 오른 손톱의 매니큐어가 신경에 거슬려 얘기도 제대로 못할 것이다.

「너, 지금」

이런저런 얘기를 하다가, 불쑥 생각났다는 듯 소타로가 말했다.

「다나베네 집에 있다면서?」

나는 깜짝 놀랐다.

너무 놀라, 손에 들고 있던 찻잔이 기울어 홍차가 접시로 흘렀을 정도였다.

「온 학교에 소문이 좍 퍼졌는데. 못 들었어?」

난처한 표정으로 웃으며 소타로가 말했다.

「네가 알고 있다는 것조차 몰랐어. 어떻게 된 거지?」

「다나베 애인이, 과거의 애인이라고 해야 하나? 그 여자가, 학교 식당에서 다나베의 뺨을 후려쳤다니까」

「어? 나 때문에?」

「그런 모양이야. 너희들 지금 잘돼 가고 있잖아. 나 그렇게 들었는데」

「뭐라구? 처음 듣는 얘긴데」

내가 말했다.

「둘이 같이 산다면서?」

「엄마도(엄밀하게 말하면 아니지만) 같이 산단 말이야」

「뭣! 거짓말이지?」

소타로는 큰 소리로 말했다. 옛날에는 그의 그런 명랑함과 순진함을 진심으로 사랑했었다. 하지만 지금은 그저 시끄럽고 부끄러울 따름이다.

「다나베, 좀 유별나다면서」

「난, 잘 몰라. 마주치는 일도 별로 없고. ……특별히 할 얘기도 없고.

날, 길 잃은 강아지처럼 주워들였을 뿐이야.

딱히 날 좋아하는 것도 아니고.

더구나 그에 대해서는 아무것도 모르고.

그런 떠들썩한 일이 있었는지조차 전혀 모르고 있었고」

「하기야, 난 너의 취향 같은 것도 잘 몰랐으니까」

소타로가 말했다.

「아무튼, 언제까지 있을 작정이야?」

「모르겠어」

「생각해 두는 편이 좋을 거야」

그가 웃었다.

「그래, 명심할게」

내가 대답했다.

공원 안을 죽 걸어 돌아왔다. 나무들 사이로 다나베네 아파트가 훤히 보였다.

「저기 살아」

나는 손가락으로 가리켰다.

「좋겠다. 공원 바로 옆이잖아. 내가 저런 데 살면 새벽 다섯시에 일어나 산책할 텐데」

소타로가 웃었다. 키가 커서 항상 내가 올려다보았다. 애 같으면 틀림없이──나는 그의 옆얼굴을 보며 생각했다. 나를 데리고 다니면서 집도 새로 구하게 하고, 학교에도 나오게 했을 것이다.

그래, 그 건전함이 좋고, 부럽고, 그러지 못하는 자신이 싫었었다. 옛날에는.

그는 대가족의 장남이고, 그가 집에서 별 뜻 없이 가져오는 활기참이 나를 푸근하게 해주었었다.

하지만 지금의 나에게 필요한 것은──저 다나베네 집의 묘한 편안함──이다, 그에게 그 점을 설명할 수 있을 것 같지 않았다. 딱히 할 필요도 없지만, 그를 만나면 늘 그랬다. 내가 나 자신이란 것이 굉장히 슬퍼진다.

「잘 가」

내 눈동자를 통하여, 가슴 깊은 곳에 있는 뜨거운 덩어리가 그에게 멋쩍은 질문을 한다.

아직 나한테 미련이 남아 있는 거야?

「힘 내」

그가 웃는다. 가느다래진 눈동자에 대답이 깃들여 있다.

「알겠어, 명심할게」

그렇게 대답하고 손을 흔들고 헤어졌다. 그리하여 그 기분은, 어느 한없이 먼 곳으로 사라져간다.

그 밤, 텔레비전을 보고 있는데, 현관문이 열리면서 커다란 상자를 껴안은 유이치가 돌아왔다.

「어서 와」

「워드프로세서를 사왔어!」

유이치가 신나 말했다. 요즘 들어 알았는데, 이 집 사람들은 물건 사들이기를 병적으로 좋아한다. 그것도 아주 큰 것. 주로 전자제품.

「잘됐네」

내가 말했다.

「뭐, 쳐줄까?」

「글쎄」

노래 가사라도 쳐달라고 할까, 하고 생각하고 있는데,

「그렇지, 이사했다고 엽서 보내면 되겠다」

라고 유이치가 말한다.

「뭐하려고」

「이런 대도시에서 주소도 전화 번호도 없이 살 작정이야?」

「어차피 다시 이사할 건데, 그때 또 알려야 되니까 성가시잖아」

　내가 말하자,

　「쳇」

　이라며 그는 한심하다는 투다.

　「좋아, 그럼 부탁할게」

　라고 말하고는, 아까 일이 생각나,

　「그런데, 혹 곤란하지 않니, 너?」

　라고 묻자,

　「뭐가?」

　라며, 정말 무슨 소린지 모르겠다는 표정이었다. 내가
만약 그의 애인이라면 뺨을 후려쳤을 것이다. 나는 순간
자신의 처지를 잊고, 그에게 반감을 품고 말았다. 그 정
도로, 모르는 것 같았다. 그라는 사람은.

　〈아래 주소로 이사를 하였습니다.

　편지나 전화는 다음 주소와 전화 번호로 부탁드립
니다.

　도쿄도 ○○구 ○○3-21-1

　○○아파트 1002호

　○○○-○○○○

　사쿠라이 미카게.〉

유이치가 엽서에 그렇게 찍어주었다. 나는 그것을 복사하여(아니나다를까 이 집에는 복사기까지 숨어 있었다) 받을 사람의 이름을 한 장 한 장 써나갔다.

유이치도 도와주었다. 그는 오늘밤 한가한 모양이다. 이것도 나중에야 알았는데, 그는 한가로운 것을 아주 싫어한다.

투명하게 가라앉은 시간이 볼펜 소리와 함께 한 방울 한 방울 떨어진다.

밖에서는 봄의 태풍처럼, 따스한 바람이 윙윙 불고 있었다. 밤풍경도 흔들리는 것 같다. 나는 애틋한 마음으로 친구들의 이름을 써나갔다. 그런데 나도 모르게 소타로를 빼놓고 말았다. 바람이 세다. 흔들리는 나무와 전선 소리가 들려오는 듯하다. 눈을 감고, 접개식 조그만 상 앞에 무릎을 꿇고 있는 나의 상념은 들리지 않는 거리를 헤매고 있다. 왜 이 방에 이런 상이 있는지 나는 모른다. 이 상을 사들였을 그녀는, 충동만으로 생을 산다는 그녀는, 오늘밤도 가게에 나가 있다.

「자지 마」

유이치가 말했다.

「자는 거 아냐. 사실은 이사했다고 엽서 쓰는 거, 나 굉장히 좋아해」

내가 말했다.

「그래, 나도 그런데」

유이치가 말했다.

「여행지에서 엽서 쓰는 것도 아주 좋아하고」

「하지만」

나는 마음을 단단히 먹고 다시 도전해 보았다.

「이런 엽서가 파문을 불러일으켜서, 학교 식당에서 여자한테 뺨따귀 후려맞을 것 같지 않니?」

「아까부터, 그 말 하고 있었던 거야?」

그가 피식 웃었다. 당당하게 웃는 얼굴에 가슴이 철렁했다.

「그러니까, 솔직하게 말해도 좋아. 난, 여기에 있는 것만으로 족하니까」

「어이가 없어서」

그가 말한다.

「그럼, 이게 엽서 놀이란 말이야?」

「엽서 놀이라니?」

「뭔지 모르겠지만」

우리는 웃었다. 그래서, 얘기가 또 빗나갔다. 그 부자연스러움 때문에, 둔한 나는 간신히 알아챘다. 그의 눈을 들여다보고서, 알았다.

그는, 슬퍼하고 있는 것이다.

아까, 소타로가 말했었다. 다나베의 여자 친구는 1년

을 사귀었는데도 상대방을 잘 알 수 없어 지겨워졌다고. 다나베는 여자를 만년필이나 뭐 그런 정도로밖에 생각하지 않는다고.

나는 유이치를 사랑하지 않으므로 잘 안다. 만년필에 대한 그와 그녀의 생각이 질과 무게에 있어 전혀 달랐던 것이다. 세상에는 만년필을 죽기로 사랑하는 사람도 있을 수 있다. 그 점이 너무 슬프다. 사랑하지 않기에 알 수 있는 일이다.

「어쩔 수 없었어」

유이치는 나의 침묵이 마음에 걸렸는지 얼굴도 들지 않고 말했다.

「전혀, 네 탓이 아니야」

「……고마워」

나는 무슨 까닭인가, 그렇게 말한다.

「천만에」

라며 그가 웃는다.

나는 지금, 그를 알게 되었다. 한 달 가까이나 같은 곳에 살았는데, 지금 처음으로 그를 알았다. 혹 언젠가 그를 좋아하게 될지도 모르겠다고 생각했다. 사랑을 하게 되면, 항상 전력으로 질주하는 나지만, 구름진 하늘 틈 사이로 보이는 별들처럼, 지금 같은 대화를 나눌 때마다, 조금씩 좋아하게 될지도 모르겠다.

하지만——나는 손을 움직이면서 생각했다. 하지만 이곳에서 나가지 않으면 안 된다.

그들이 헤어진 것은, 내가 여기 있음이 아닌가. 내가 얼마나 강한지, 지금 당장 혼자 생활로 돌아갈 수 있을지, 도무지 갈피를 잡을 수 없었다. 그렇지만, 역시, 조만간, 정말 조만간, 이사했다는 엽서를 쓰면서 모순이라고는 생각하지만…….

나가지 않으면.

그때, 끼익 소리가 나면서 문이 열리고 큼지막한 종이 꾸러미를 껴안은 에리코 씨가 들어와 깜짝 놀랐다.

「어떻게 된 거예요. 가게는?」

유이치가 돌아보면서 말했다.

「지금 갈 거야! 열어봐. 주서기 샀으니까」

종이 꾸러미에서 커다란 상자를 꺼내며 에리코 씨는 신난다는 듯 말했다.

또야, 하고 나는 생각했다.

「그래서, 두려고 왔어. 먼저 써도 좋아」

「전화하면 가지러 갔을 텐데」

유이치가 가위로 끈을 자르면서 말했다.

「괜찮아. 이 까짓」

마구잡이로 헤쳐진 꾸러미 안에서 무엇이는 주스로 만

들어버릴 듯, 우람한 주서기가 나왔다.

「생 주스 마시고 피부 관리 좀 하려고」

에리코 씨는 신나게, 즐겁게 말했다.

「너무 늙어서 소용없어요」

유이치가 설명서를 읽으며 말했다.

눈앞의 두 사람이 너무도 담담하게, 보통 모자처럼 말을 나누기에 나는 현기증이 일었다. 〈부인은 마녀〉 같다. 불건전하기 짝이 없는 설정인데, 이렇듯 명랑한걸 뭐.

「어머 미카게 씨는, 엽서 쓰고 있나봐」

에리코 씨가 손 밑을 들여다본다.

「마침 잘됐네. 이사 축하 선물 줘야지」

그리고 종이로 둘둘 만 꾸러미를 내밀었다. 펼쳐보니 바나나 그림이 그려진 예쁜 유리컵이었다.

「이걸로 주스 마셔요」

에리코 씨가 말했다.

「바나나 주스 마시면 딱 어울리겠다」

유이치가 정색하고 말했다.

「어머, 예뻐라」

나는 눈물이 나올 것만 같았다.

이 집 나갈 때, 이것도 갖고 가고, 그 다음에도 뻔질나게 들러서 죽 만들어드릴게요.

입으로는 말 못하고, 그렇게 생각하였다.

소중하고 소중한 유리컵.

그 다음 날은, 원래 살던 집에서 정식으로 나오는 날
이었다. 간신히 모든 게 정리되었다. 더뎠다.
화창한 오후였다. 구름도 바람도 없고, 금빛 달짝지근
한 햇살이 아무것도 없는 나의 고향 방을 비추고 있었다.
찔끔찔끔 이사한 터라, 주인 아저씨한테 사과하러 들
렀다.
어린 시절 심심하면 들렀던 관리실에서, 아지씨가
끓여준 차를 마시면서 얘기를 나누었다. 그도 꽤 늙었
다, 고 나는 생각한다. 할머니가 돌아가시는 것도 무리
가 아니다.
할머니가 곧잘, 이 조그만 의자에 앉아 차를 마셨을
때처럼, 지금 내가 이 의자에 앉아 차를 마시고, 날씨며
우리 동네 치안이 어떻다는 둥 얘기하는 게 이상했다.
실감이 나지 않는다.
——바로 얼마 전까지의 모든 것이 무슨 까닭인가, 엄
청난 속도로 내 앞을 질주하여 지나가고 말았다. 덩그마
니 혼자 남겨진 나는 느릿느릿 대응하기가 고작이다.
절대로 인정하고 싶지 않아 말하는데, 질주한 것은 내
가 아니다. 절대로 아니다. 난 그 모든 것이 진정 슬픈걸.

깨끗하게 치워진 내 방을 비추는 햇살, 거기서 이전에 살았던 집 냄새가 났다.

부엌 창. 친구의 웃는 얼굴, 소타로의 옆 얼굴 너머로 보였던 대학 교정의 싱그러운 녹음, 밤늦게 거는 전화 저편에서 들리던 할머니의 목소리, 추운 날 아침의 이불, 복도로 울리는 할머니의 슬리퍼 소리, 커튼의 색······ 다다미······ 벽시계.

그 모든 것. 이제 거기에 있을 수 없어진 모든 것.

밖으로 나오자 해가 뉘엿뉘엿했다.

엷은 황혼이 내려온다. 바람이 불어, 약간 서늘하다. 얇은 코트 자락이 팔락이고, 나는 버스를 기다린다.

버스 정거장에서, 도로 건너편에 있는 높은 빌딩의 창문들이 나란히, 저녁 빛으로 파랗게 물드는 것을 보고 있었다. 그 안에서 움직이는 사람들도, 오르내리는 엘리베이터도, 모두 소리없이 빛나면서 어둠에 녹아들 듯하였다.

마지막 짐이 내 두 다리 옆에 있다. 이번에야말로 혈혈단신 홀몸이 될 나 자신을 생각하자, 눈물은 나오지 않고 오히려 마음이 설레었다.

버스가 모퉁이를 돌아온다. 눈앞으로 흘러와 천천히 멈추고, 사람들이 줄지어 올라탄다.

버스 안은 굉장히 복작거렸다. 손잡이를 잡은 팔에 기대어, 저무는 하늘이 빌딩 너머 저편으로 사라지는 것을 바라보았다.

살며시 하늘을 질러가려는 어린 달이 눈에 들어왔을 때, 버스가 움직였다.

덜컹, 멈출 때마다 속이 울렁거리는 것은 내가 아주 지쳐 있다는 증거다. 몇 번이나 그럴 때마다 문득 밖을 보면, 먼 하늘에 비행선이 떠 있었다.

바람을 가르며 천천히 이동한다.

나는 신이 나서 열심히 쳐다보았다. 조그만 라이트를 깜박거리면서, 비행선은 엷은 달 그림자처럼 하늘을 가고 있었다.

그때, 내 바로 앞에 앉아 있는 어린 여자 아이한테, 그 뒷자리에 앉은 할머니가 조그만 소리로 말했다.

「저기 좀 봐 유키야, 비행선이야. 예쁘지?」

얼굴이 똑 닮아 손녀 같은 그녀는 복잡한 도로와 버스 때문에 몹시 짜증이 났는지, 몸을 비틀며 볼멘소리로 말했다.

「몰라 몰라, 저거 비행선 아니야」

「그런가」

할머니는 조금도 동요치 않고 너그럽게 웃으며 대답하였다.

「아직 멀었어? 아이 졸려」

유키는 계속 떼를 썼다.

고 계집애. 나 역시 피곤해서 엉겁결에 저속한 말을 떠올리고 말았다. 할머니한테 그런 말버릇이 어딨어. 후회해 봐야 소용없지.

「그래 그래, 이제 다 왔다. 저 뒤, 엄마 좀 봐라. 잠들었어. 유키가 깨울래?」

「아, 정말이네」

고개를 돌려 한참 떨어진 뒷좌석에서 잠자는 엄마를 보고서야 유키는 겨우 웃는다.

좋겠다.

나는 생각했다. 할머니의 말투가 너무도 자상하고, 그 아이의 웃는 얼굴이 갑작스레 너무도 귀엽게 보여서, 나는 부러웠다. 나한테는 두 번 다시 없을…….

나는 두 번 다시란 말이 지니는 감상적인 어감과 앞으로의 일들을 한정하는 뉘앙스를 별로 좋아하지 않는다. 하지만 그때 생각난 〈두 번 다시〉의 그 엄청난 무게와 암울함은 잊기 어려울 만큼 박력이 있었다.

나는 신에 맹세코, 그런 일들은 그런대로 담담한 심정으로 대처하고 있다고 여겼었다. 버스의 흔들림에 몸을 맡기고, 하늘 저 멀리로 사라져가는 비행선을 눈으로 좇으면서.

그런데, 막상 정신을 차리고 보니 눈물이 뚝뚝 가슴으로 떨어지고 있는 것 아닙니까.

놀라웠다.

자신의 신체 기능이 정지되었는가 싶었다. 술에 몹시 취했을 때처럼, 자신과는 무관한 곳에서, 눈물이 송글송글 솟았다. 나는 부끄러워서 얼굴이 새빨개졌다. 스스로도 알 수 있었다. 나는 당황하여 버스에서 내렸다.

떠나는 버스의 뒷모습을 바라보다 나도 모르게 어두컴컴한 뒷골목으로 뛰어들었다.

그리고, 나 자신이란 짐 사이에 끼여, 어둠 속에서 쭈그리고 엉엉 울었다. 그렇게 울기는 태어나서 처음이었다. 쉴새없이 흐르는 뜨거운 눈물에, 나는 할머니가 돌아가신 후 거의 한번도 제대로 울지 않았음을 알았다.

슬퍼서가 아니라, 그저 여러 가지 일들로 울고 싶어했다는 기분이 들었다.

들리는 소리에 문득 고개를 들자, 머리 위로 보이는 밝은 창에서 하얀 김이 새어 나왔다. 귀를 기울이자, 안에서 시끌벅적한 소리, 냄비 부딪치는 소리, 그릇들 소리가 들렸다.

——주방이다.

나는 주체할 수 없이 우울하고, 그러다 명랑한 기분이

되어, 머리를 감싸고 잠시 웃었다. 그리고 일어나 치맛자락을 털고, 오늘 돌아갈 예정이었던 다나베네 집으로 걸음을 옮겼다.

신이여, 아무쪼록 살아갈 수 있도록.

졸려서.
나는 다나베네 집으로 돌아가자마자 유이치에게 그렇게 한마디만 하고 잠자리에 들었다.
몹시 피곤한 하루였다. 그러나, 울어서 기분이 한결 가벼워졌고, 푸근한 잠이 찾아왔다.
와, 정말 자고 있네.
차를 마시러 부엌에 들어온 유이치가 한 말을 잠결에 들은 듯한 느낌이다.

나는 꿈을 꾸었다.

오늘, 완전히 이사한 그 집 부엌에서 나는 싱크대를 닦고 있었다.
황록색 바닥이, 살고 있을 때는 진저리가 나도록 싫었는데 막상 떠나고 보니 그립고 사랑스러웠다.
이사 준비를 다 끝내, 선반 안에도 싱크대 위에도 아

무엇도 없다는 설정이었다. 실제로 그런 것들은 오래전에 정리해 버렸는데.

유이치가 뒤쪽에서 걸레로 바닥을 닦고 있었다. 나는 겨우 한 짐 덜었다고 안도하고 있었다.

「좀 쉬면서, 차라도 마시자」

내가 말했다, 텅 비어서 목소리가 울렸다. 넓었다, 아주 넓게 느껴졌다.

「그래」

유이치가 얼굴을 들며 대꾸했다. 남의 집의, 그것도 곧 이사할 텐데, 그렇게 땀까지 흘리면서 바닥을 닦다니…… 하고 나는 생각했다. 아주 그답다.

바닥에 깐 방석에 앉아 내가 가져온 차를 마시면서 ──찻잔은 이미 다 꾸려서 종이컵에 따랐다── 유이치가 말했다.

「멋진 부엌이었나 봐」

「응, 그랬어」

나는 말했다. 나는 사발에 차를 따라 양손으로 감싸고 마시고 있었다.

유리 상자 속에 있는 것처럼 조용했다. 올려다본 벽에는 벽시계를 떼고 난 흔적만 있었다.

「지금, 몇 시지?」

내가 묻자,

「한밤중이잖아」

라고 유이치가 말했다.

「어째서?」

「밖이 어둡고 조용하니까」

「그럼, 나는 야반도주하는 거네」

내가 말했다.

「아까 하던 얘기 말인데」

유이치가 말했다.

「우리 집에서 이제 나갈 생각이지? 나가지 마」

아까 하던 얘기와는 전혀 달라서, 나는 놀란 얼굴로 유이치를 보았다.

「너는 내가 에리코 씨처럼 충동적으로 살고 있다고 생각하는 모양인데, 널 우리 집으로 부른 것은 신중하게 생각하고 내린 결론이었어. 할머니는 항상 네 걱정을 많이 했고, 그리고 네 기분 가장 잘 알 수 있는 사람도 아마 날 거야. 그렇지만 기운을 회복하여 정상으로 돌아가면 우리가 아무리 말려도 나갈 수 있는 사람이란 거 알고 있어. 하지만 너, 지금은 힘들어. 힘들다는 것을 알려줄 사람이 주변에 없으니까, 내가 대신 지켜보고 있었던 거야. 우리 엄마가 버는 쓸데없는 돈은 이런 때를 위해 있는 거야. 주서기를 사기 위해 있는 것만은 아니라구. 서두르지 마」

마치 살인범한테 자수하라고 설득하는 사람처럼 성의 있게, 나를 똑바로 쳐다보면서, 그는 한마디 한마디를 담담하게 말했다.

나는 고개를 끄덕였다.

「……좋았어, 그럼 다시 바닥이나 닦아야지」

나도 종이컵과 사발을 들고 일어났다.

그릇을 씻고 있는데, 물소리에 섞여 유이치가 흥얼거리는 노랫소리가 들렸다.

달빛 그림자, 흔들리지 않도록
곶 어귀에 보트를 세웠다

「아, 그 노래 나도 아는데. 뭐였지. 좋아하는 노랜데. 누가 불렀더라」

내가 말했다.

「음, 기쿠치 모모코. 멜로디 굉장히 좋지?」

유이치가 웃었다.

「아, 그래 맞아!」

나는 싱크대를 닦으면서, 유이치는 바닥을 닦으면서, 목소리를 합하여 노래했다. 한밤중에, 고즈넉한 부엌에서 목소리가 울려 신났다.

「이 부분이 특히 좋더라」

나는 제2절 첫머리를 노래했다.

　멀리
　등대
　돌아가는 불빛이
　두 사람이 함께하는 밤에는
　나무 사이로 비치는 햇살 같아
　큰 소리로 둘은 노래했다
　멀리 등대 돌아가는 불빛이
　두 사람이 함께하는 밤에는 나무 사이로 비치는 햇
살 같아

불쑥 말이 헛나왔다.
「어어, 너무 큰 소리로 노래하면 옆 방에서 자는 할머
니가 깬단 말이야」
말하고서, 아차 싶었다.
유이치는 나보다 더 당황했는지 바닥을 닦던 손길이
딱 정지해 있었다. 그리고 난감한 눈으로 나를 돌아보
았다.
나는 어쩔 줄을 몰라, 웃음으로 얼버무렸다.
에리코 씨가 정성껏 키운 그 아들은, 이런 때면 순간
에 왕자님이 된다. 그가 말한다.

「여기 일 다 끝나면 집으로 돌아가는 길에, 포장마차에서 라면 먹자」

잠에서 깨고 말았다.

한밤중의 다나베네 집 소파에서…… 그렇게 일찍 잠들다니, 평소에 안하던 짓을 하니까 그렇다. 이상한 꿈. ……이라고 생각하면서, 물을 마시러 부엌에 갔다. 왠지 가슴이 서늘했다. 엄마는 아직 돌아오지 않았다. 두시다.

아직도 꿈의 감촉이 생생하다. 스테인레스로 떨어지는 물소리를 들으면서, 싱크대나 닦을까, 하고 멍하니 생각했다.

귓속에서, 하늘을 움직이는 별들 소리가 들릴 것처럼 잠잠하고 고독한 밤이다. 파삭파삭한 마음에 컵 한 잔의 물이 스민다. 조금 추워, 슬리퍼를 신은 맨발이 떨었다.

「잘 잤어?」

라며 느닷없이 유이치가 뒤로 다가와 놀랐다.

「뭐, 뭐야?」

나는 고개를 돌렸다.

「잠은 깼는데, 배도 고프고 해서 라면이나 끓일까 하고……」

꿈속과는 달리, 현실 속의 유이치는 잠이 덜 깬 멍청

한 얼굴로 주절주절 말했다. 나는 울어서 퉁퉁 부은 얼굴로,

「끓여줄 테니까, 앉아 있어. 내 소파에」

「어어, 니 소파에」

그렇게 말하며 휘청휘청 그는 소파에 걸터앉았다.

어둠에 드러난 이 조그만 방의, 불빛 아래서 냉장고 문을 연다. 채소를 썬다. 내가 좋아하는 이 부엌에서 ──불현듯, 라면이라니 묘한 우연이네, 라고 생각한 나는 등을 돌린 채 유이치에게 말했다.

「꿈속에서도 라면 끓였었지」

그런데, 아무런 반응이 없다. 자고 있는가 싶어 내가 돌아보자, 유이치는 몹시 놀란 눈으로 말똥말똥 나를 쳐다보고 있었다.

「서, 설마」

내가 말했다.

유이치가 중얼거리듯 말했다.

「너, 지난 번에 살던 집 부엌 바닥, 황록색이었어? 가만, 이건 알쏭달쏭 수수께끼가 아닌데」

나는 재미있기도 해서 상황을 이해하고,

「아까는 바닥 닦아줘서 고마웠어」

라고 말했다.

보통 여자 쪽이 이런 경우를 받아들이기 쉽기 때문이

리라.

「이제 정신이 들었다」

유이치는 그렇게 말했지만 한 발 늦은 것이 분한지,

「차 끓여서 종이컵이 아닌 데다 따라주었으면 좋겠는데」 라며 웃었다.

「자기가 끓여」

라고 내가 말하자,

「아 참, 그렇지. 주서기로 주스 만들자! 너도 마실래?」

라고 말했다.

「응」

유이치는 신난다는 듯 냉장고에서 그레이프 푸르츠를 꺼내고, 주서기를 상자에서 꺼냈다.

나는 한밤의 부엌에서 끔찍한 소리를 내며 만들어지는 두 사람 분의 주스 소리를 들으며 라면을 끓였다.

굉장한 일인 것 같기도 하고, 별 일 아닌 것 같기도 하였다. 기적 같기도 하고, 당연한 일인 것 같기도 하였다.

아무튼 나는 말로 표현하자면 사라져버리는 담담한 감동을 가슴에 간직한다. 시간은 많다. 끝없이 되풀이되는 밤과 아침, 그러다 보면 언젠가는 이런 때가 꿈이 될지도 모르니까.

「여자가 되는 것도 힘든 일이야」

어느 저녁 나절, 에리코 씨가 불쑥 말했다.

잡지를 읽고 있던 나는 고개를 들고, 네? 하고 물었다. 아름다운 엄마는 출근 전의 한때, 식물에 물을 주고 있었다.

「미카게 씨는 장래성이 있어 보여서, 문득 말하고 싶어졌어. 나도 혼자서 유이치를 기르면서 깨닫게 되었지. 힘들고 괴로운 일도 아주 아주 많았어. 정말 홀로서기를 하고 싶은 사람은, 뭘 기르는 게 좋아. 아이든가, 화분이든가. 그러면 자신의 한계를 알 수 있게 되거든. 거기서부터 다시 시작하는 거야」

노래하듯, 그녀는 그녀의 인생 철학을 말했다.

「여러 가지로 힘든 일이 많았나 봐요」

감동한 내가 그렇게 말하자,

「뭐 다 그렇지. 하지만 인생이란 정말 한번은 절망해 봐야 알아. 그래서 정말 버릴 수 없는 게 뭔지를 알지 못하면, 재미라는 걸 모르고 어른이 돼버려. 난 그나마 다행이었지」

라고 그녀는 말했다. 어깨까지 늘어진 머리칼이 살랑살랑 흔들렸다. 싫은 일은 썩어날 정도로 많고, 길은 눈길을 돌리고 싶을 만큼 험하다…… 고 생각되는 날이 얼마나 많았던가. 사랑조차 모든 것을 구원하지 못한다.

그런데도 이 사람은 황혼녘의 햇살을 받으며 가느다란 손으로 초목에 물을 주고 있다. 투명한 물의 흐름으로 무지개가 뜰 것처럼 반짝이는 달큰한 빛 속에서.

「알 것 같은 기분이에요」

나는 말했다.

「미카게 씨의 순수한 마음이 난 굉장히 마음에 들어. 미카게 씨를 기른 할머니도 틀림없이 멋진 분이었을 거야, 그렇지?」

라고 그의 엄마가 말했다.

「최고의 할머니였어요」

내가 웃고,

「좋았겠네」

라며 등뒤에서 그녀가 웃었다.

여기서도, 언제까지 있을 수는 없다——잡지로 눈길을 돌리고 나는 생각한다. 휘청 현기증이 일 정도로 괴롭지만, 그건 명백한 일이다.

언젠가 서로 다른 곳에서 이곳을 그리워할까.

아니면 언젠가 또 같은 부엌에 서는 일도 있을까.

하지만 지금, 이 실력파 엄마와, 저 상냥한 눈의 남자와, 나는 같은 곳에 있다. 그게 지금의 전부다.

훨씬 더 어른이 되면, 많은 일들이 있고, 몇 번이나

좌절하고 몇 번이나 괴로워하고 몇 번이나 제자리로 돌아온다. 절대로 지지 않는다. 힘을 빼지 않는다.

꿈의 키친.
나는 몇 군데나 그것을 지니리라. 마음속으로, 혹은 실제로. 혹은 여행지에서. 혼자서, 여럿이서, 단둘이서, 내가 사는 모든 장소에서, 분명 여러 군데 지니리라.

만월
—— 키친 2

가을의 끝, 에리코 씨가 죽었다.

미친 남자가 좇아다니다가, 급기야 살해한 것이다. 그
남자는 거리에서 처음 에리코 씨를 보고는 흥미를 느끼
고, 미행하여 그녀가 일하는 가게가 게이 바라는 것을
알았다. 그리고 아름다운 그녀가 남자라니 충격이라고
긴 긴 편지를 쓰고, 거의 가게에 눌러 살다시피 하였다.
그의 집요함에 반비례하여 에리코 씨나 가게 사람들은
점점 그에 대해 냉담해져 갔다. 그래서 어느 날 밤, 남
자는 바보 취급한다고 소리를 꽥꽥 지르면서 갑자기 나
이프로 그녀를 찔렀다. 에리코 씨는 피를 흘리면서도 카
운터에 장식해 놓은 아령을 두 손으로 휘둘러 범인을 때

려 죽였다.

「……이런 거, 정당방위고, 무죄가 되는 거지?」

이 말이 그녀의 최후의 말이었다고 한다.

……나, 사쿠라이 미카게가 그 사실을 안 것은, 겨울
이 되고 나서였다. 모든 것이 끝나고 한참이나 지나서
야, 유이치가 간신히 전화를 건 것이다.

「그 자식, 보란 듯이 싸우고 죽었어」

유이치가 불쑥 그렇게 말했다. 밤 1시였다. 어둠 속으
로 울려퍼지는 전화 벨 소리에 놀라 벌떡 일어난 나는
수화기를 들고, 무슨 소린지 알 수가 없어, 잠이 덜 깬
머리로 전쟁 영화의 한 장면을 떠올렸다.

「유이치? 뭐라구? 무슨 소리야?」

나는 몇 번이나 물었다. 잠시 침묵이 이어지고, 유이
치가 말했다.

「엄마…… 아아, 아버지라고 해야 하나. 살해당했어」

나는 알 수 없었다. 아무 대꾸 없이 숨을 삼키는 나한
테, 유이치는 정말 얘기하고 싶지 않다는 듯 조금씩 조
금씩, 에리코 씨의 죽음을 얘기하기 시작했다.

점점 더 믿을 수 없어, 나의 눈동자는 얼어붙고, 순간
말 소리가 저 멀리로 달아났다.

「그게…… 언제? 지금 막 일어난 일이야?」

나는 어디서 목소리가 나오는지, 무슨 소리를 떠들고 있는 건지, 잘 알지도 못하는 채 그렇게 물었다.

「……아니. 오래전 일이야. 가게 사람들하고 장례식도 조촐하게 치렀고. ……미안. 도저히, 도저히 너한테 알릴 수가 없었어」

나는 가슴살을 도려내는 듯한 기분이었다. 그렇다면 그녀는 이미 없는 것이다. 지금은 이미, 어디에도 없다.

「미안해, 정말 미안해」

유이치가 또 그렇게 말했다.

전화는 아무것도 전해 주지 않는다. 나한테는 유이치가 보이지 않았다. 울고 싶어하는지, 컬컬 웃고 싶어하는지, 차분하게 얘기를 나누고 싶은 것인지, 그냥 혼자 내버려두었으면 하는 것인지, 전혀 알 수 없었다.

「유이치, 지금 갈게. 가도 되지? 나, 유이치 보면서 얘기하고 싶어서 그래」

나는 말했다.

「응, 집에 데려다 줄 테니까, 안심하고 와」

유이치는 여전히 감정을 읽을 수 없는 투로 말했다.

「이따 보자」

나는 그렇게 말하고 전화를 끊었다.

──아아, 마지막으로 만난 게 언제였더라. 웃으면서 헤어졌던가. 머리가 빙글빙글 돌았다. 나는 초가을에 대

학교를 미련 없이 그만두고 요리 연구가의 어시스턴트가 되었다. 그리고 곧바로 다나베네 집을 나왔다. 나는 할머니가 돌아가셔서 혼자가 된 후, 반년이나 다나베네 집에서 유이치와, 그의, 실은 남자인 어머니 에리코 씨와 함께 살았다. ……이사할 때, 그때가 마지막이었나. 에리코 씨는 찔끔 눈물을 보이며, 가까우니까 주말에는 놀러와, 라고 했다. ……아니야. 지난 월말에 만났었다. 맞아, 한밤중에, 24시간 편의점에서, 그때다.

밤에 잠이 안 와서 요플레를 사려고 패밀리 마트에 뛰어갔었다. 마침 입구에서 일을 끝내고 돌아가는 에리코 씨와, 가게에서 일하는 원래는 남자인 여자들이 종이 컵으로 커피를 마시고 오뎅을 먹고 있었다. 내가 에리코 씨! 하고 말을 걸자, 내 손을 잡고 어머나! 미카게 씨, 우리 집에서 나가더니 홀쭉해졌네, 라며 웃었다. 파란색 원피스를 입고 있었다.

내가 요플레를 사들고 나오자, 에리코 씨는 종이 컵을 한 손에 들고, 싸늘한 눈동자로 어둠 속에서 빛나는 거리를 보고 있었다. 나는 장난삼아, 에리코 씨 얼굴이 남자 같네요, 라고 말했다. 에리코 씨는 활짝 웃는 얼굴로, 어머, 우리 아가씨 그런 말 함부로 하면 못써요. 사춘기가 시작된 건가, 하고 말했다. 난 성인인데요, 라고 내가 말하자 가게 여자들이 웃었다. 그리고…… 집에 놀러

와, 라고, 아아 다행이다, 웃는 얼굴로 헤어졌다. 그게
마지막이다.

여행용 조그만 칫솔 세트와 수건을 찾는 데 몇 분이나
걸렸다. 나는 허둥대고 있었다. 서랍을 열었다가 닫았다
가, 화장실 문을 열었다가 닫았다가, 꽃병을 쓰러뜨려
바닥을 닦기도 하고 그렇게 몇 번이나 온 방을 헤집고
돌아다니다가, 결국 아무것도 손에 쥐고 있지 않음을 깨
달았을 때, 피식 웃음이 나오고, 침착해야지, 하고 눈을
감았다.
칫솔과 수건을 가방에 넣고, 가스를 잠그고 자동 응답
장치를 몇 번이나 확인하고 휘청휘청 아파트를 나왔다.
정신을 차리니 장면은 다나베네 집을 향하여 겨울의
밤길을 걷는 나. 열쇠를 짤랑거리면서 별 하늘 아래를
걷고 있자니, 눈물이 줄줄 흐르기 시작하였다. 길도 발
치도, 잠잠히 가라앉은 건물도 모두 뜨겁고 뒤틀려 보였
다. 숨이 콱 막혀, 괴로웠다. 그래서 열심히 차가운 공
기를 들이마셔 보았지만, 가슴으로 들어오는 공기는 가
늘게만 느껴졌다. 눈동자 깊이 숨어 있는 뾰족한 것이
바람에 드러나 점점 차가워지는 것 같았다.
늘 예사로이 보이는 전신주와 가로등과 서 있는 차
가, 검은 하늘이 제대로 보이지 않았다. 모든 것이 열기

저 너머에 있는 것처럼 초현실적으로 아름답게 빛나고, 눈 앞으로 바짝 다가온다. 나는 자신의 온몸에서 엄청난 속도로 빠져나가는 에너지를 저지할 수 없다, 고 느꼈다. 쉭 쉭, 소리를 내며 어둠으로 사라져간다.

부모님이 돌아가셨을 때는 아직 어렸다. 할머니가 돌아가셨을 때는 사랑을 하고 있었다. 할머니가 돌아가시고 혼자가 되었을 때, 그때보다 지금이 훨씬 더 고독하다.

걷는 걸음걸음, 살아가야 하는 나날들을 내던지고 싶었다. 내일이 오고, 모레가 오고, 그러다 보면 내주가 오고, 틀림없이 그렇다. 그런 일들이 이토록 성가셨던 적이 없다. 이제나저제나 나는 슬픔과 암울함 속에서 살아가겠지, 정말 싫었다. 가슴속은 태풍인데, 담담하게 밤길을 걷는 자신의 영상이 귀찮았다.

한시라도 빨리 마무리를 짓고 싶어서, 그렇지 유이치를 만나면 일단, 하고 생각한다. 유이치한테 자세한 내용을 들으면. 하지만 그게 어떻다는 말인가. 해결되는 일이라도 있다는 말인가. 어둠 속으로 내리는 차가운 비가 그치는 정도다. 희망 따위가 아니다. 한층 거대한 절망이 흘러드는, 어둡고 우울한 흐름이다.

비참한 기분으로 다나베네 집 현관 벨을 눌렀다. 나도 모르는 사이에 10층까지 엘리베이터도 타지 않고 걸어 올라와, 헉헉 숨이 찼다.

유이치가 귀에 익은 속도로 현관을 향하여 걸어오는 소리가 들렸다. 이 집에서 신세를 지던 시절, 툭하면 열쇠를 깜빡해서 한밤중에 현관 벨을 누르기가 몇 번이었던가. 늘 유이치가 일어나 나왔고, 보조 체인을 벗기는 소리가 울렸었다.

　문이 열리고, 다소 야윈 유이치가 얼굴을 내밀었다.

　「오랜만이야」

　나도 오랜만이라고 말하면서, 웃음을 미처 억누르지 못한 것이 스스로도 기뻤다. 나는 유이치를 만나, 마음속으로 진정 기뻐하고 있었다.

　「들어가도 되지?」

　멀뚱한 유이치한테 그렇게 말하자, 퍼뜩 정신을 차린 그는 힘없이 미소지으며, 말했다.

　「음, 물론이지. ……아니, 틀림없이 무지무지하게 화났을 거라고, 각오하고 있었거든, 그래서 좀 놀랐어. 미안, 들어와」

　「난, 이런 일로 화내지 않아, 아는 주제에」

　유이치는 애써 여느 때처럼 웃는 얼굴을 보이며, 응이라고 말했다. 나도 웃으며 구두를 벗었다.

　얼마 전까지 생활했던 방은, 처음에는 왠지 낯설었지만 금방 그 냄새에 익숙해져, 특유의 반가움이 샘솟는다. 소파에 몸을 묻고, 그렇게 생각하고 있는데 유이치가 커피를 가지고 왔다.

「나, 오랜만에 여기 온 것 같아」

내가 말하자,

「그래, 너 좀 바빴잖아. 일은 어때? 재미있어?」

라고 유이치가 차분하게 물었다.

「음, 지금은 뭐든 다. 감자 껍질 벗기는 것까지 재밌
다니까. 그런 때지」

나는 웃으며 대답한다. 그러자 유이치는 커피 잔을 내
려놓고 불쑥 말을 꺼냈다.

「오늘 밤, 겨우 머리가 정상적으로 움직이기 시작했
어. 알리지 않으면 안 된다, 지금 당장. 그래서 전화했어」

나는 얘기를 들을 자세를 취하려 몸을 앞으로 좀 내밀
고, 유이치를 쳐다보았다. 유이치가 얘기하기 시작했다.

「장례식을 치를 때까지만 해도 뭐가 뭔지 통 알 수가
없었어. 머릿속은 새하얗고, 눈앞은 깜깜하고. 그 사
람, 나한테는 유일한 동거인이었고, 엄마에 아빠였잖아.
철들었을 때부터 쭉 그랬으니, 생각보다 혼란이 커서, 할
수 있는 일은 힘껏 했는데, 하루하루 뭐가 뭔지 알 수
없는데, 그냥 굴러가듯이 지나갔어. 그 사람답게 비정상
적인 죽음이어서, 형사 사건이잖아, 범인의 처자식들도
찾아오고, 가게 사람들은 거의 반 미친 상태고, 내가 장
남답게 행동하지 않으면 일을 추진할 수가 없었어. 네

생각은 늘 하고 있었어. 이건 정말이야. 내내, 그래, 생각했어. 그런데 전화를 걸 수가 없었어. 너한테 연락하는 순간, 모든 것이 현실이 될 것만 같아 무서워지. 아버지이자 엄마인 사람은 그런 식으로 죽고, 이 세상에 나 혼자 남았다는 게 말이야. 암만 그래도, 그 사람은 너하고도 아주아주 친했는데, 알리지도 않다니, 지금 생각하면 내가 어떻게 됐었나봐. 나도 미쳐 있었던 모양이야」

커피 잔을 바라보면서 유이치는 중얼거리듯 말했다. 심한 타격을 받은 그를 보며, 내 입에서 이런 말이 나왔다.

「어째 우리 주변은 죽음으로 가득하네. 우리 부모님. 할아버지, 할머니 ……유이치를 낳은 어머니, 그런 데다 에리코 씨까지, 정말 굉장하군. 우주가 넓다지만 우리 같은 사람은 없을 거야. 우리가 친하게 지내는 거, 우연치고는 굉장한 우연이지. ……참 잘도 죽는다」

「음」

유이치가 웃었다.

「우리 둘이서, 죽고 싶은 사람 곁에 살아주면 장사가 될지도 모르겠다. 소극적인 일꾼으로」

빛이 흩어지듯 서글프고 환하게 웃는 얼굴이었다. 밤이 깊어간다. 고개를 돌려, 창 밖에서 반짝반짝 아름답게 빛나는 밤 풍경을 보았다. 높은 데서 내려다보는 거리는 빛의 입자에 에워싸여 있고, 자동차 행렬은 빛의 강이 되어 밤을 흐른다.

「드디어 고아가 되고 말았어」

유이치가 말했다.

「난 두 번이나 그랬어. 자랑할 건 못 되지만」

내가 웃으며 그렇게 말하자, 유이치의 눈에서 눈물이 똑똑 흘러 떨어졌다.

「너의 그런 농담이 듣고 싶었어」

팔로 눈을 비비면서 유이치가 말했다.

「정말 너무너무 듣고 싶었다구」

나는 두 손을 뻗어 유이치의 머리를 꼭 껴안고.

「전화해 줘서 고마웠어」라고 말했다.

나는 에리코 씨가 평소 즐겨 입었던 빨간 스웨터를 유품삼아 갖기로 하였다.

아, 분해, 얼마나 비싼 건데 미카게 씨한테 더 잘 어울리잖아.

어느 날 밤 나한테 입혀본 에리코 씨가 그렇게 말한 추억이 있기 때문이다.

그리고 유이치는 경대 서랍 안에 들어 있었다는 그녀의 〈유언장〉을 나한테 건네주며 잘 자라고 말하고 자기 방으로 사라졌다. 나는 혼자서 그걸 읽었다.

유이치에게

자기 자식한테 편지를 쓰자니 좀 이상한 기분이다, 얘. 하지만 요즘 신변의 위험을 느끼는 일이 있어서, 만에 하나를 위하여 그냥 써보는 거야. 치, 그래봐야 장난이지만. 언젠가 우리 둘이 웃으면서 읽도록 하자.

하지만 너, 생각해 봐. 내가 죽으면, 너 외톨이잖아. 미카게나 다름없다구. 웃을 일이 아니야. 우린 친척 하나 없어. 네 엄마랑 결혼할 때는 버린 자식 취급 받았고, 내가 여자가 되었을 때는, 사람들한테 들으니까 날 저주한다고 하더라, 그러니까 행여 할아버지 할머니한테 연락할 생각 마. 알겠지?

있잖니 유이치, 세상에는 참 갖가지 사람이 많더라. 나는 이해하기 어려운데, 시궁창 같은 생활을 하는 사람도 있더라니까. 일부러 타인이 혐오할 짓을 하여 그 사람의 관심을 끌려는 사람, 그게 도가 지나쳐 자신을 궁지에 몰아넣는, 그런 사람들을 난 이해할 수가 없다. 제 아무리 열심히 괴로워해도 동정의 여지가 없어. 안 그렇겠니, 난 몸 하나로 당당하고 활기차게 살아왔는 걸. 난 아름다워. 난 빛나고 있어. 나는 혹 뜻하지 않은 사람이 나한테 매료되었다 해도 내 아름다움 때문에 감수해야 하는 세금쯤이라고 생각하고 체념하고 있단다. 그러니까 만약 내가 살해당해도 그건 사고야. 이상한 상상 하지 말거라. 너와 함께 살았던 나를 믿어.

나 말이지, 이 편지만큼은 번듯하게 남자들 말투로 쓰려고 무진 애를 썼는데, 이상하구나. 부끄러워서 도무지 써지지가 않는다. 난, 이렇게 오래도록 여자로 지내는데도, 아직 어딘가에 남자인 자신이, 원래의 자신이 남아 있나봐. 아버지 역할 때문이라고 생각했는데. 하지만 이제 심신이 여자, 명실상부한 엄마야. 우습구나.

난 내 인생을 사랑하고 있다. 남자였던 과거도, 네 엄마랑 결혼했던 일도, 그녀가 죽은 후에, 여자로 살아온 세월도, 너를 키워 성장시킨 것도, 함께 즐겁게 산 것…… 아아, 미카게를 내 집에 들인 것! 그땐 정말 즐거웠지. 어째 미카게를 만나고 싶구나. 그 애도 소중한 내 자식이다.

아아, 무지무지 감상적인 기분이다.

미카게한테 안부 전해 다오. 남자 앞에서 다리에 난 털 탈색하지 말라고, 그렇게 전해라. 꼴불견이니까.

너도 그렇게 생각하지?

　동봉한 것은 내 재산 전부다. 어차피 서류니 뭐니
하는 것들은 봐야 모르겠지. 변호사한테 연락해라. 그
래 봐야 가게 외에는 전부 네 것이다만. 외동이란 참
좋은 것이로구나.

　　　　　　　　　　　　　　　　　　에리코

　나는 다 읽은 편지를 원래대로 살며시 접었다. 에리코
씨의 향수 냄새가 희미하게 풍겨, 가슴이 저렸다. 언젠
가는 아무리 편지를 펼쳐도 이 냄새가 나지 않을 것이
다. 그런 일이 가장 고통스럽다.

　이 집에서 살았을 때 내가 침대로 삼았던 친숙함으로
소파에 눕는다.

　여느 때와 다름없이 밤은 이 방을 찾아오고, 창가 식
물들의 그림자는 밤의 거리를 내려다보고 있다.

　하지만, 아무리 기다려도 이미 그녀는 돌아오지 않는다.

　어언 날이 밝을 무렵, 콧노래와 하이힐 소리가 다가와
현관문을 연다. 가게에서 일을 끝내고 돌아오는 그녀는
언제나 엉망으로 술에 취해 있어 시끄러운 소리를 낸다.
나는 어렴풋이 잠에서 깨어나 그 소리를 듣는다. 샤워
소리, 슬리퍼 끄는 소리, 물 끓이는 소리, 나는 안심하

여 다시 잠으로 빠져든다. 늘 그랬다. 그립다. 미칠 정
도로 그립다.

　이 조그만 이야기는, 그 슬픈 밤에 막을 올린다.

　다음날, 두 사람이 일어난 것은 늦은 오후였다. 쉬는
날이라 빵을 뜯어먹으면서 신문을 뒤적뒤적 읽고 있으려
니, 유이치가 방에서 나왔다. 세수를 하고 내 옆에 앉아
우유를 마시면서,

　「잠시 학교에나 다녀올까……」

　라고 말했다.

　「참 내 이러니까 학생은 세월이라 그러지」

　나는 그렇게 말하고 빵을 반으로 잘라 그에게 주었다.
고마워, 라며 받아든 유이치는 우물우물 먹었다. 둘이서
텔레비전을 향하고 그러고 있었더니, 진짜 고아 같아 기
분이 묘했다.

　「너, 오늘 밤 집에 갈 거야?」

　유이치가 일어나 물었다.

　「글쎄」

　나는 생각했다.

　「저녁밥 먹고 갈까」

　「오오, 전문가가 짓는 저녁밥!」

　유이치가 말했다. 그리하여 그것은 아주 멋진 착상으

로 여겨지고, 나는 오기가 났다.

「좋았어, 우리 신나게 한번 벌여보자. 내 목숨이 붙어 있는 한 만들어보일 테니까」

나는 열심히 호화스런 메뉴를 생각하여 그 재료를 종이에 써서 그에게 내밀었다.

「차 타고 가. 그리고 이거 전부 사와야 돼. 다 유이치가 좋아하는 것들뿐이니까, 신나게 먹을 궁리나 하면서 빨리 돌아와」

「치, 새신부 같잖아」

유이치는 그렇게 투덜거리면서 나갔다.

문이 닫히는 소리와 함께 이제사 혼자가 되었다 싶으니 피곤이 몰려왔다. 방은 초를 새기는 시간이 느껴지지 않을 만큼 고적하고, 나만 살아서 활동하고 있는 것이 미안스러울 정도로 정지된 분위기를 자아내고 있었다.

사람이 죽은 후의 방은 항상 이렇다.

나는 소파에 묻혀 멍하니, 넓은 창 밖, 초겨울 회색으로 덮인 거리를 바라보고 있었다.

이 조그만 도시의 모든 부분에, 공원에, 길에, 안개처럼 스미는 겨울의 무겁고 싸늘한 기운을 다 감당할 수가 없다. 짓눌려 숨을 쉴 수가 없다. 그런 생각이 들었다.

위대한 인물은 있는 것만으로도 빛을 발하고, 주위 사람들의 마음을 비춘다. 그리고 사라졌을 때는 무겁디무거운 그림자를 떨군다. 아주 사소한 위대함이었는지도 모르겠지만, 에리코 씨는 여기에 있다가, 그리고 없어졌다.

벌렁 드러눕자, 하얀 천장이 나를 구해 주었던 추억이 느릿느릿 밀려온다. 할머니를 잃은 직후, 유이치도 에리코 씨도 없는 오후에는 곧잘 이렇게 천장을 보았다. 그래, 할머니가 돌아가셔서, 마지막 피붙이를 잃었을 때 나는 별일 아니라고 생각했다. 그리고 더 이상 별일 아닌 일은 없을 것이라고 확신했는데, 뛰는 놈 위에 나는 놈이 있는 법이다. 나한테 에리코 씨는 거대한 존재였다. ……운이 좋으니 나쁘니, 그런 것은 분명 있다. 하지만 거기다 몸을 맡기는 것은 어리석다. 그렇게 생각한다고 해서 괴로움이 덜어지는 것은 아니다. 그렇다는 것을 알고부터는 한층 살기는 쉬워졌다. 별일 아닌 것과 일상 생활을 동시에 진행시킬 수 있을 만큼 어른이 되기도 했지만.

그렇기에 더욱이, 지금 이렇게 마음이 묵직하다.

오렌지색으로 엷게 물든 거뭇거뭇한 구름이 서쪽 하늘에 퍼지기 시작한다. 이제 곧, 천천히 차가운 밤이 내려오리라. 마음의 공동으로 젖어드는 —— 잠이 왔지만,

「지금 자면 무서운 꿈을 꿀 거야」

라고 혼자 중얼거리며 일어났다.

그리고, 오랜만에 다나베네 집 부엌에 서보았다. 순간 에리코 씨의 웃는 얼굴이 떠올라 가슴이 저릿저릿했지만, 몸을 움직이고 싶었다. 아무래도 요즘 유이치는 이 부엌을 거의 사용하고 있지 않는 모양이다. 지저분하고 어두웠다. 나는 청소를 시작하였다. 세제를 뿌려 싱크대를 박박 닦고, 가스 레인지 대를 닦고, 전자 레인지 안에 있는 내열 접시를 닦고, 칼을 갈았다. 행주를 전부 빨아 건조기에 돌렸다. 윙윙 돌아가는 건조기를 보고 있자니 마음이 정말 누그러졌다. 어째서 나는 이토록이나 부엌을 사랑하는 것일까. 이상한 일이다. 혼의 기억에 각인된 먼 옛날의 동경처럼 사랑스럽다. 여기에 서면 모든 것이 처음으로 돌아가고, 무언가가 다시 돌아온다.

여름 동안 혼자서 집중적으로 요리 공부를 하였다.

그 느낌, 머릿속에서 세포가 떨리는 듯한 느낌은 좀처럼 잊기 어렵다.

기초와 이론과 응용편, 책 세 권을 사서 통달하였다. 버스 안, 소파나 침대에서는 이론편을 읽으면서 칼로리와 온도, 재료에 관한 것을 암기하였다. 그리고 틈만 나면 부엌에서 요리를 만들었다. 죄 너덜너덜해진 그 책들은 지금도 소중하게 갖고 있다. 어릴 적 애지중지하였던 그림책처럼, 한 쪽 한 쪽 화보의 색깔까지 고스란히 떠올릴 수 있다.

유이치와 에리코 씨는, 미카게 완전히 요리에 미쳤어, 맞아, 라고 몇 번이나 말했었다. 나는 정말 미친 사람처럼 여름 내내, 만들고 또 만들고 또 만들었다. 아르바이트로 번 돈을 몽땅 쏟아붓고, 실패하면 제대로 될 때까지 반복하였다. 신경질을 부리고 짜증을 내기도 하고, 반대로 느긋한 기분으로 만들기도 하였다.

지금 생각하면, 그 덕분에 셋이서 함께 종종 식사를 하였다, 멋진 여름이었다.

덧문 너머로 불어오는 저녁 바람, 창 밖으로 파르스름하게 퍼져 있는 무더운 하늘의 잔재를 바라보면서, 제육과 냉면과 수박 샐러드를 먹었다. 무슨 음식을 만들든 허풍스럽게 신나하는 그녀와, 두말 없이 열심히 먹어주는 그를 위하여 나는 만들었다.

어패류를 듬뿍 넣은 오믈렛과, 소담스런 찜 요리, 튀김, 그런 요리들을 만들 수 있기까지 꽤 시간이 걸렸다. 내 덤벙거리는 성격이 제대로 된 요리를 만드는 데 얼마나 걸림돌이 되는지 비로소 알았다. 적정 온도가 될 때까지 채 기다리지 못한다든가, 물기가 완전히 빠지기도 전에 요리해 버린다든가, 그런 사소한 요소들이 결과적으로 색이나 모양에 어김없이 반영돼 있어, 놀랐다. 그래 가지고서야 주부의 저녁 식사감 정도지 화보로 찍히는 요리가 될 수 없다.

달리 방법이 없어 나는 모든 과정을 정성껏 차근차근 조리하도록 유념하였다. 그릇들은 깨끗이 물기를 닦고, 조미료 뚜껑은 쓸 때마다 꼼꼼히 닫고, 차분하게 순서를 생각하고, 짜증이 나서 속이 부글거릴 때에는 잠시 쉬면서 심호흡을 하였다. 처음에는 초조하고 절망스러웠지만, 어느 순간 모든 것이 고쳐졌고, 그때는 자신의 성격까지 변한 것처럼 느껴졌다. 물론 착각이었지만.

지금 내가 보조하고 있는 요리 선생의 어시스턴트가 되기란 실은 굉장히 어려운 모양이다. 선생은 요리학원뿐만 아니라, TV나 잡지를 통해서도 활발하게 활동하고 있는 유명한 여자라서, 내가 테스트를 받고 통과되었을 때, 응모자 수가 엄청났다고 한다. 나중에 들었다. ……나는, 신출내기가 한 여름 공부한 요리 실력으로 그런 직장을 얻었으니 행운이라고 은근히 기뻐하고 있었는데, 요리를 배우러 학원에 다니는 여자들을 보고는 납득이 갔다. 그녀들은 근본적으로 나와는 마음가짐이 달랐다.

그녀들은 행복하게 살고 있다. 제멋대로 배우는 것은 좋지만 그 행복의 영역에서 벗어나서는 안 된다고 세뇌되어 있다. 아마 그들의 자상한 부모들로부터. 그리고 진정한 기쁨이 뭔지를 모른다. 어느 쪽이 좋은지, 인간은 선택할 수 없다. 각자는 각자의 인생을 살도록 만들어져 있다. 자신이 실은 혼자라는 사실을 가능한 한 느끼지 않을 수 있어야 행복한 인생이다. 나도, 뭐 좋지, 하고 생각한다. 앞치마를 두르고 꽃 같은 미소를 띠고, 요리를 배우고, 열심히 고민하고 방황하면서 사랑을 하고 시집을 간다. 그런 인생도, 멋지지, 하고 생각한다. 아름답고 온화하다. 특히 몹시 지쳐 있거나, 뾰루지가 났다거나, 쓸쓸한 밤에 이리저리 전화를 걸어대도 친구들이 다들 받지 않을 때, 태생도, 성장과정도, 그 모든 것, 나는 자신의 인생을 혐오한다. 모든 것을 후회하고 만다.

하지만 저 행복한 여름, 그 부엌에서.

나는 불에 데어도 칼에 베여도 두렵지 않았다. 철야도 힘들지 않았다. 하루하루, 내일이 오면 새로운 도전이 가능하다는 즐거움으로 가슴이 설레었다. 순서를 외울 정도로 여러 번 만든 당근 케이크에는 내 혼의 단편이 들어 있었고, 슈퍼마켓에서 새빨갛게 익은 토마토를 발견하면 나는 뛸 듯이 기뻐했다.

나는 그렇게 하여 즐거움이 무언지를 알았고, 이제 원래 자리로 돌아갈 수는 없다.

자신이 언젠가는 죽는다는 것을 잊지 않고 싶다. 그렇지 않으면 살아 있다는 기분이 안 든다. 그래서, 이런 인생이 되었다.

어둠 속, 깎아지른 듯한 벼랑 끝을 아슬아슬 걸어 국도로 들어서서 후, 하고 안도한다. 이젠 질렸다고 생각하면서 올려다보는 달빛의, 마음으로 스미는 아름다움을 나는 알고 있다.

청소를 하고 요리할 준비를 끝내자 밤이었다.

현관 벨 소리와 함께 유이치가 큼지막한 비닐 주머니를 껴안고 힘겹게 문을 밀면서 얼굴을 보였다. 내가 현관까지 나가자,

「기가 막혀서」

유이치가 말했다. 주머니를 풀썩 내려놓는다.

「뭐가?」

내가 말했다.

「네가 사오라는 거 전부 샀더니, 혼자 들고 올 수가 없더라구. 너무 많아서」

그래, 하고 고개를 끄덕이면서 시치미를 떼고 있으려니 유이치가 울컥 화를 내어 할 수 없이 주차장까지 같이 내려가기로 하였다.

차 안에는 거대한 슈퍼마켓 주머니가 아직 두 개나 남아 있었고, 주차장에서 현관까지 나르는 데도 힘들었다.

「하기야, 나도 필요한 것 이것저것 샀지만」

더 무거운 쪽 주머니를 껴안은 유이치가 말했다.

「이것저것?」

하고 말하며 나는 내가 껴안고 있는 주머니를 들여다보았다. 샴푸며 노트 외에도 냉동 식품이 수두룩하게 보였다. 과연, 요즘 그의 식생활이 어떤지 알 만했다.

「……그럼, 네가 몇 번 왔다갔다하면 되잖아」

「참 내, 같이 가면 한번에 끝나잖아. 저기 봐, 달이 예쁘잖아」

유이치는 겨울 하늘의 달을 턱으로 가리켰다.

「치, 둘러대기는」

이라고 핀잔을 주었지만 현관을 들어설 때, 달의 흔적을 얼핏 뒤돌아보았다. 아주 밝은 빛을 발하고, 거의 둥글게 차 있었다.

올라가는 엘리베이터 안에서 유이치가 말했다.

「역시, 관계 있겠지」

「뭐가?」

「아주 예쁜 달을 본다든가 그러면 요리의 완성도에 영향을 끼친다면서. 생 달걀 깨넣는 메밀국수 같은, 간접적인 거 말고 말이야」

땡, 하고 엘리베이터가 멈추고, 내 마음이 순간 진공이 되었다. 걸으면서 나는 말했다.

「더 본질적으로 말이야?」

「그래 그래, 인간적으로」

「그야 물론 있지」

나는 곧바로 대답했다. 만약 이 문답이 〈퀴즈 100명에게 물었습니다〉 스튜디오라면, 있다는 소리가 여기저기서 울려퍼졌을 것이다.

「역시, 그런가. 너는 틀림없이 예술가가 될 거라고 생각하고 있었거든. 그래서 내 멋대로 너한테는 요리가 예술인 모양이라고 여겼는데. 넌 정말 부엌 일을 좋아하는 건가봐. 잘됐지 뭐」

유이치는 혼자서 몇 번이나 고개를 끄덕이며 스스로 납득하였다. 마지막에는 거의 중얼거림에 가까웠다. 나는,

「어린애 같기는」

이라고 말하며 웃었다. 아까의 진공이 불현듯 말이 되어 머리를 스친다.

〈유이치가 있으면 그 외에는 아무것도 필요없다.〉

순간적인 일이었지만 나는 상당히 당황하였다. 너무도 강렬하게 빛나 현기증이 날 것만 같았다. 마음이 벅차오른다.

나는 두 시간이나 공을 들여 저녁 식사를 준비하였다.

유이치는 그 동안 텔레비전도 보고 감자 껍질을 벗기기도 하였다. 그는 그런 솜씨는 있다.

에리코 씨의 죽음은 아직 실감할 수 없었다. 직면할

수 없었다. 충격의 돌풍 너머에서 조금씩 다가오는 암울한 사실이었다. 그리고 유이치는 좍좍 쏟아지는 빗속에 서 있는 버드나무처럼 풀이 죽어 있었다.

그래서 둘이 있어도 에리코 씨의 죽음에 대해서는 피차 말하지 않고, 시간과 공간을 가늠할 수 없는 정도가 심해졌지만, 지금은 둘이 있는 수밖에 없었다. 앞날도 없이 안심한 공간이 따스하게 느껴졌다. 그리고, 뭐라 잘 표현할 수는 없지만, 반드시 뒤탈이 있을 것만 같았다. 그것은 거대하고 공포스런 예감이었다. 그 거대함이 오히려 이 고독한 어둠 속에 있는 두 고아를 고양시켰다.

밤이 투명하게 밝아올 무렵, 우리는 다 만들어진 대량의 저녁을 먹기 시작했다. 샐러드, 파이, 스튜, 고로케. 튀김 두부, 나물, 당면으로 속을 넣은 만두, 닭살 무침, 탕수육, 찐만두……, 국적이 뒤죽박죽이었지만 천천히 시간을 두고, 포도주를 마시면서 전부 먹어치웠다.

유이치가 평소의 그답지 않게 취한 듯하여, 이 정도 마시고 취하다니 이상하네, 라고 말하다 문득 바닥을 보니 빈 포도주 병이 하나 뒹굴고 있어 움찔하였다. 내가 음식을 만들고 있는 사이에 비운 모양이었다. 취할 만도 하군. 기가 차서 물었다.

「유이치, 너 이거 한 병 혼자서 다 마신 거야?」

그는 소파에 벌렁 누워 샐러리를 아작아작 씹으면서

응, 이라고 대답했다.

「얼굴에는 전혀 표 안 나는데」

내가 말하자 유이치는 갑자기 아주 슬픈 표정이 되었다. 취하니까 다루기 어렵군, 이라고 생각한 내가,

「왜 그러는데?」

라고 묻자, 유이치는 정색하고,

「요 한 달 동안 내내 그런 말 들었어, 가슴을 저미는 말이야」

이라고 말했다.

「누가, 학교 친구들?」

「응」

「그럼, 한 달 내내 마셨단 말이야?」

「응」

「그랬다면, 나한테 전화할 맘도 안 생겼겠네 뭐」

나는 웃었다.

「전화가, 번쩍번쩍 빛나 보였어」

그도 웃으며 말했다.

「취해서 비틀비틀 밤길을 걸어오다 보면, 전화 부스 보통 밝게 빛나잖아. 캄캄한 밤길에, 멀리서 봐도 잘 보이잖아. 아아, 저기 가서 미카게한테 전화를 해야지, ○○○-○○○○ 하고, 텔레폰 카드 뒤적뒤적 찾아서, 부스 안까지 들어가기는 하는데. 그런데 지금 내가

어디에 있고, 무슨 말을 해야 하는지를 생각하면, 순간에 전화 걸 마음이 없어져 버려. 돌아와서 침대에 푹 쓰러져 잠들면 미카게가 수화기를 들고 울면서 화를 내는 꿈을 꿔」

「울면서 화내는 것은 상상 속의 나였겠지. 실제로 부딪쳐보지도 않고서」

「응, 갑자기 행복해졌어」

유이치는 스스로도 무슨 말을 하고 있는지 잘 모르리라, 아주아주 졸린 목소리로 한마디, 한마디 말을 이었다.

「엄마는 죽었는데도 미카게는 이 방에 와서, 이렇게 내 눈앞에 있어. 화가 나서 나랑 인연을 끊겠다고 해도 어쩔 수 없는 일이라고 각오하고 있었는데. 그때, 셋이 여기서 살았던 때를 생각하면 너무 괴로워서, 다시는 만날 수 없을 것 같은 기분이었어. ……옛날부터 손님용 소파에서 누군가 잠드는 것을 좋아했어. 시트는 새하얗고 빳빳하고, 자기 집인데도 어디 여행이라도 온 느낌이었지. ……요즘 제대로 먹지도 않아서, 뭘 좀 만들까 하고 몇 번이나 생각했어. 그런데 먹을 거리도 빛이 나잖아. 그리고 먹으면 그 빛이 사라지잖아. 그런 게 성가셔서 술만 마셔댔어. 제대로 잘 설명하면 미카게가 여기 있어줄지도 모른다, 일단은 얘기를 들어줄 수도 있을 것이다. 그런 행복한 기대를 갖는 게 두려웠지. 굉장히 말이야. 잔뜩 기대했는데 미카게가 만약 화를 내고 울고불고한다면, 그야말로 수렁에 혼자 빠지는 꼴이잖아. 그런 감정을 네가 이해할 수 있도록 설명할 자신도 끈기도 없었어」

「넌 정말 그런 애야」

내 말투에 화가 났는지, 유이치의 눈이 서글퍼졌다. 세월이 두 사람 사이에 가로눕고, 텔레파시처럼 순간에 깊은 이해가 찾아온다. 나의 그런 복잡한 감정이 그 다른 고아한테도 전해진 모양이다. 유이치가 말한다.

「오늘이 안 끝나면 좋겠어. 밤이 계속되면 좋겠어. 미카게, 여기서 살아」

「살아도 괜찮기는 한데」

어차피 술주정에 불과하리라고 생각한 나는 상냥하게 말했다.

「에리코 씨는 이제 없어. 둘이 같이 산다면, 여자로? 아니면 친구로?」

「소파 팔아치우고 더블 침대나 살까」

유이치가 웃는다. 그리고 꽤 정직하게 말했다.

「나도 잘 모르겠군」

그 묘한 성실함이 오히려 내 가슴을 울렸다. 유이치가 말을 이었다.

「지금은 아무 생각도 할 수 없어. 내 인생에서 미카게는 과연 무엇인가. 내 자신 앞으로 어떻게 변해 갈지. 지금까지의 나와 뭐가 다를지. 그런 것들 하나도 모르겠어. 생각해 봐도 좋겠지만, 이런 정신 상태로는 올바른 생각도 할 수 없으니까, 정할 수가 없어. 빨리 벗어나고 싶어. 그래야지. 지금은 너를 끌어들이고 싶지 않아. 둘이서 죽음의 와중에 있어봐야, 넌 아무 재미도 없겠지. ……어쩌면 우리 둘이 같이 있는 한 늘 그럴지도 모르지」

「유이치, 그렇게 한꺼번에 생각하지 않아도 돼. 시간이 흐르면 다 해결될 테니까」

나는 조금은 울고 싶은 기분으로 그렇게 말했다.

「응, 내일 술이 깨면 잊어버리겠지. 요즘은 항상 그래. 다음날로 이어지는 게 없어」

소파에 엎드린 유이치는 그렇게 말한 후, 큰일이야……라고 중얼거렸다. 온 방이 밤 속에서 조용히 귀기울이고 유이치의 목소리를 듣는 것만 같았다. 이 방 역시 에리코 씨의 부재로 어쩔 바를 모르는 느낌이다. 밤이 깊고 무겁게 짓누른다. 같이 나눌 수 있는 게 하나도 없다는 기분을 자아낸다.

……나와 유이치는, 때로 칠흑 같은 어둠 속에서 가느다란 사다리를 타고 저 높이 올라, 함께 지옥의 불구덩이를 들여다보는 일이 있다. 현기증이 일 정도로 뜨거운 열기를 받으면서, 거품을 일으키며 새빨갛게 타오르는

불의 바다를 쳐다본다. 곁에 있는 사람은, 이 세상에서
누구보다 가까운, 둘도 없는 친구인데, 두 사람은 손을
마주 잡지 않는다. 아무리 불안해도 저 혼자 힘으로 서
려는 성질. 하지만 나는 맹렬한 불길에 비친 불안한 그
의 옆얼굴을 보면서, 어쩌면 이것이야말로 진실일지도
모른다고 생각한다. 두 사람은 일상적인 의미의 남자와
여자는 아니지만, 태곳적 의미로는 진정한 남녀였다. 그
러나 어느 쪽이든, 그 장소는 너무하다. 사람과 사람이
평화를 빚어내는 장소가 아니다.

　──무슨 영감으로 점을 치고 있는 것도 아니잖아.

　나는 심각하게 거기까지 공상하다가 불현듯 그런 생각
에 피식 웃고 말았다. 지옥의 불구덩이를 들여다보면서
동반 자살하려는 남녀가 보이는군요. 따라서, 두 사람의
사랑은 지옥행. 옛날에 그런 일이 있었지, 하고 생각하
니 웃음이 사그라들지 않았다.

　유이치는 그대로 소파에서 잠들고 말았다. 나보다 먼
저 잠들 수 있어 행복하다는 듯한 얼굴이었다. 이불을
덮어주었는데도 반응이 없었다. 나는 산더미 같은 설거
지를 가능한 한 소리가 나지 않도록 하면서 펑펑 눈물을
흘렸다.

　물론, 이렇게 혼자서 씻는 것이 힘들어서가 아니라, 지
릿지릿 밀려드는 슬픈 밤 속에 홀로 남겨졌기 때문이다.

다음날 낮에 출근을 해야겠기에 자명종 시계를 맞춰놓고 잤는데, 따르릉 따르릉…… 시끄러운 소리에 손을 뻗었더니 전화였다. 나는 수화기를 잡고 있었다.

「여보세요」

란 말이 나오면서 거의 동시에, 아 참 여기 내 집이 아니지란 생각이 나, 서둘러 「다나베입니다」라고 덧붙였다.

그러자, 딸깍! 하고 전화가 끊기고 말았다. 아, 여자였나봐…… 하고 졸린 머리로 미안하게 생각하며 유이치를 보았더니, 여전히 쿨쿨 자고 있었다. 할 수 없지 뭐, 라고 생각하며 채비를 하여 집을 나섰다. 오늘 밤에도 이곳으로 돌아올지는, 낮 동안 천천히 생각해 보자.

일터에 도착한다.

대형 빌딩의 한 층이 전부 그 선생의 사무실이다. 학원용으로 사용하는 조리실과, 사진 스튜디오가 있다. 선생은 자기 방에서 기사를 체크하고 있었다. 아직 젊고, 요리를 잘하고, 기막힌 감각을 가지고 있고, 붙임성 좋은 여자다. 오늘도 나를 보고는 방긋 미소지으며 안경을 벗어올리고, 일의 내용을 지시한다.

오후 세시부터 시작되는 쿠킹 시간 준비가 복잡하고 힘들 것 같으니까, 그 일을 다 거들 때까지 있으면 된다고 한다. 메인 어시스턴트로는 다른 사람이 일한다고 한다. 그렇다면 저녁 시간 전에 일이 끝난다…… 잠시 우왕좌왕하는 내 머리 위로 적절한 지령이 이어진다.

「사쿠라이 씨, 모레 이즈 지방 취재가 있거든, 3박인데 갑자기 말해서 미안하지만 동행해 줄 수 있을까」

「이즈요? 잡지 일인가요?」

나는 놀라 물었다.

「으응…… 다른 사람들은 시간이 안 맞는다고 해서 말이야. 몇 군데 유명한 여관의 음식맛을 소개하고, 조리법도 약간 곁들여 해설하는 기획인데, 어때. 멋진 여관하고 호텔에서 묵는다구. 혼자서 방 쓸 수 있도록 내가 조처할게…… 가능한 한 빨리 대답해 주었으면 좋겠는데, 음, 내일 저녁 때……」

나는 선생의 말이 채 끝나기 전에 대답했다.

「가겠어요」

그야말로 두말 없는 승낙이었다.

「고마워」

선생은 웃으며 말했다.

조리실 쪽으로 걸으면서 나는 갑자기 마음이 가벼워진 자신을 깨달았다. 지금은 잠시 도쿄를 떠나 유이치와 떨어져 있는 것이 바람직할 것 같았다.

문을 열자, 안에서는 동료 어시스턴트인 1년 선배 노리 씨와 구리 씨가 이미 준비 작업에 들어가 있었다.

「미카게 씨, 이즈 얘기 들었어?」

나를 보자마자 구리 씨가 물었다.

「좋겠다. 프랑스 요리도 있대. 맛있는 해산물도 잔뜩 나오고」

라며 노리 씨가 싱글거렸다.

「그런데, 어떻게 내가 가게 된 거지?」

내가 묻자,

「미안해. 우리 둘이 골프 레슨 예약해 버렸거든, 그래서. 아, 하지만 미카게 씨 사정이 어려워지면 우리 둘 중 하나는 취소할 테니까, 구리 씨, 그래도 되지?」

「응, 그러니까 미카게 씨 솔직하게 말해」

둘이서 진심으로 배려하는 마음으로 그렇게 말해 주어, 나는 웃으며 고개를 가로저었다.

「으응, 나는 전혀 상관 없어」

그 두 사람은 같은 대학에서 같이 소개를 받아 이곳에 왔다고 한다. 물론 요리 공부를 4년째 계속하고 있는 프로다.

구리 씨는 명랑하고 귀엽고, 노리 씨는 정숙한 미인형, 그런 인상이다. 둘이서 사이가 굉장히 좋다. 항상 눈이 반짝 뜨일 만큼 품위 있고 센스 있는 옷을 입고, 상큼하고 반듯하다. 조심스럽고 친절하고 인내심도 있다. 요리계에는 흔치 않은 양가의 규수 타입 중에서도, 이 사람들의 돋보임은 진짜다.

가끔, 노리 씨의 어머니한테서 전화가 걸려오는데, 황송할 만큼 상냥하고 부드럽다. 노리 씨의 하루 일과를 전부 파악하고 있는 데는 놀랐다. 세상의 엄마란 다 그런 것인가.

노리 씨는 풍성한 머리카락을 만지작거리며, 방울 같은 목소리로 웃음을 섞어가며 어머니와 대화를 나눈다.

나는, 자신과는 전혀 동떨어진 인생을 사는 사람들인데도 두 사람을 무척 좋아한다.

그녀들은 국자를 집어줘도, 고마워, 라며 웃는다. 내가 감기에 걸리거나 하면 당장, 괜찮니? 라며 걱정해 준다. 두 사람이 하얀 앞치마를 두르고 빛 속에서 방긋방긋 웃는 모습은 눈물이 나올 만큼 행복한 풍경이다. 나로서는 그녀들과 함께 일할 수 있음이 마음 푸근하고 즐거웠다.

재료를 사람 수대로 유리 그릇에 나누고, 대량의 물을 끓이고, 계량을 하고, 잔잔한 일이 꽤나 많았다.

창문이 커서 채광이 좋은 그 방에는, 오븐과 전자 레인지와 가스 레인지가 설치된 대형 테이블이 죽 늘어서 있어 가정과 실습실을 연상시킨다. 우리는 도란도란 얘기를 나누며 즐겁게 일하고 있었다.

두시가 좀 넘어서다. 느닷없이 문을 세게 노크하는 소

리가 들렸다.

「선생님인가」

고개를 갸웃하며 노리 씨가 말했다.

「들어오세요」

가는 목소리로 대답했다.

구리 씨가 갑자기,

「앗, 어떻게 하지. 난 매니큐어 안 벗겼어, 혼나겠다!」

라며 허둥지둥하여, 내가 핸드백 위로 고개를 숙이고 아세톤을 찾고 있는 때였다.

문이 열리고 동시에 여자 목소리가 들렸다.

「사쿠라이 미카게 씨 계십니까?」

나는 깜짝 놀라 고개를 들었다. 입구에는 전혀 알지 못하는 여자가 서 있었다.

얼굴 생김이 아직은 어려 보인다. 아마 나보다 나이가 어리겠지. 키는 작고 눈은 동그랗고 매섭다. 노란색 얇은 스웨터 위에 갈색 코트를 걸치고, 베이지색 펌프스를 신고 똑바로 서 있다. 다리는 약간 굵지만, 그런대로 섹시하고 괜찮다 싶은 인상이었다. 전신이 그렇게 동글동글했다. 좁다란 이마가 반듯하게 드러나 있고 앞 머리카락도 손질돼 있었다. 동그랗고 매끄러운 윤곽 속에서, 빨간 입술만 화가 난 듯 도드라져 있다.

느낌이 나쁜 사람은 아닌데…… 나는 난감했다. 아무

리 봐도 기억이 나지 않는다는 것은 에사로운 일이 아니다.

노리 씨와 구리 씨도 난감한 표정으로 내 뒤에서 그녀를 보고 있었다. 할 수 없이 내가 물었다.

「죄송하지만, 누구신지요?」

「오쿠노라고 합니다. 드릴 말씀이 있어서 왔어요」

그녀가 갈라지는 높은 목소리로 말했다.

「미안하지만 지금 일하는 중이라서요. 밤에 저희 집으로 전화를 해주시면 안 될까요?」

내가 그렇게 말하자, 그녀는

「다나베 씨 집을 말하는 건가요?」

라고 딱딱하게 물었다. 겨우, 알았다. 오늘 아침 전화를 건 사람이 분명하다. 확신하고,

「아니에요」

라고 나는 말했다. 구리 씨가,

「미카게, 그만 가도 괜찮아. 선생님한테는 갑자기 여행을 하게 돼서 물건 사러 나갔다고 할 테니까」

라고 말하자,

「아니오, 그럴 필요 없어요. 금방 끝나니까」

라고 그녀가 말했다.

「다나베 유이치의 친구가요?」

나는 애써 온화하게 말했다.

「네, 학교 같은 과 친구예요. ……오늘은 부탁드릴 게 있어서 찾아왔어요. 분명하게 말씀드리죠. 다나베에 대해서, 더 이상 상관하지 마세요」

그녀가 말했다.

「그건 다나베 본인이 정할 일이지, 설사 애인이라도 당신이 정할 일이 아닐 것 같은데요」

그녀는 얼굴을 빨갛게 붉히며 말했다.

「이상하잖아요. 미카게 씨는 애인도 아니라고 하면서, 제멋대로 집을 찾아가고, 자기도 하고, 마음대로잖아요. 동거하는 것보다, 더 나빠요」

그녀의 눈에서 눈물이 떨어질 듯하였다.

「나는 물론 같이 산 적이 있는 당신에 비하면 다나베 씨에 대해서 잘 알지 못해요, 그냥 같은 과 친구예요. 하지만 나 나름으로는 다나베 씨를 늘 생각하고 있고, 좋아하기도 해요. 그는 요즘 어머니를 잃고 헤매고 있어요. 오래전에, 나는 다나베 씨한테 내 마음을 고백한 적이 있었어요. 그때 다나베 씨는, 미카게가…… 라고 하더군요. 애인이냐고 물었더니, 아니라며 고개를 젓고는 좀 보류해 달라고 했어요. 그의 집에 다른 여자가 살고 있는 것은 온 학교에 다 알려져 있었으니까, 그래서 난 포기했어요」

「이제는 안 살아요」

말을 끊은 꼴이 된 내 말을 무시하고 그녀가 말을 이었다.

「하지만, 미카게 씨는 애인으로서의 책임은 하나도 지지 않아요. 연애의 달콤함만 쉽게쉽게 탐닉하고, 그러니까 다나베 씨가 그렇게 우유부단한 사람이 돼버리는 거라구요. 이렇게 긴 머리칼에 날씬한 여자가 앞에서 어른거리니까 다나베 씨가 점점 교활해지는 거라구요. 늘 그렇게 어중간한 형태로 적당한 거리를 두고 있으면 편리하겠죠. 그렇지만 연애란, 사람이 다른 사람을 돌봐주는 힘든 일이 아닐까요? 그런 무거운 짐은 다 던져버리고, 뻔뻔스런 얼굴로, 난 다 안다는 태도로……, 이제 그만 다나베 씨를 놓아주세요. 부탁이에요. 당신이 있는 한 다나베 씨는 아무데도 갈 수 없어요」

인간을 통찰하는 그녀의 안목은 상당히 이기적인 방향으로 기울어 있었지만, 그 언어의 폭력은 내 아픈 곳을 정확하게 찔렀고, 내 마음은 몹시 상처입었다. 아직도 남은 말이 있는지 그녀의 입이 다시 열리기에,

「그만!」이라고 나는 말했다.

그녀가 흠칫하며 입을 다물었다.

「기분은 잘 알겠지만 말이에요, 사람들은 모두 자기 감정은 스스로 처리하면서 살고 있어요. ……당신이 하는 말 중에, 한 가지 내 기분에 관해서는 빠져 있군요.

내가, 아무 생각도 하지 않는다는 것을, 처음 만나는 당신이 어떻게 안다는 거지요?」

「어떻게 그렇게 냉정하게 말할 수 있는 거죠?」

그녀는 눈물을 떨구며 되물었다.

「그럼, 그런 태도로, 다나베 씨를 쭉 좋아하고 있었다는 거예요? 믿을 수 없군요. 어머니가 돌아가신 것을 빌미로, 단박에 자러 달려가다니, 치사한 수법이에요」

내 마음속은, 비참한 슬픔으로 가득해졌다.

유이치의 어머니가 남자였다는 것도, 내가 그의 집으로 갔을 때 정신 상태가 어땠는지도, 나와 유이치가 지금 얼마나 복잡하고 풍전등화 같은 관계에 있는지도, 딱히 그녀는 알고 싶지 않은 것이다. 그저 단순히 트집을 잡으러 온 것이다. 그렇다고 사랑이 이루어질 것도 아닌데, 아침에 전화를 건 다음 당장 나에 대해 조사를 하여 직장을 알아내고, 주소를 적어, 어디 멀리서 여기까지 전철을 타고 왔으리라. 그 모든 과정이 뭐라 말할 수 없이 서글프고 암담한 작업이었을 것이다. 원인 모를 분노를 터뜨리며 이 방으로 들어온 그녀의 머릿속이며 나날의 기분을 상상하고는, 나는 진정 슬퍼지고 말았다.

「나도 감정이란 것을 갖고 있어요. 피붙이를 잃은 지 얼마 안 된 것은 나 역시 마찬가지입니다. 그리고 여기는 내가 일하는 직장이에요. 더 이상 무슨 할말이 있다면」

이라고 나는 말했다.

사실은 집으로 전화를 하라고 말하려 했는데, 그 대신,

「울면서 부엌 칼을 휘두를지도 모르는데, 괜찮은가요」

라고 말하고 말았다. 나 스스로도 정나미 떨어지는 발언이라고 생각되었다. 그녀는 나를 날카롭게 쏘아보면서,

「하고 싶은 말 다 했으니까, 실례하겠어요」

라고 쌀쌀맞게 내뱉고는 또각또각 구두 소리를 내며 문 쪽으로 걸어갔다. 그리고 쾅, 문을 닫고 나가버렸다.

이해가 전혀 일치하지 않은 면회가, 개운치 않게 끝났다.

「미카게 씨, 절대로 잘못한 거 없어!」

구리 씨가 곁으로 와 걱정스럽다는 듯 말했다.

「그래. 그 여자가 이상한 거지. 질투심 때문에 머리가 좀 어떻게 됐나봐. 미카게 씨, 기운 내」

노리 씨가 나를 기웃거리며 친절하게 말했다.

오후의 햇살이 비치는 조리실에 우뚝 선 채, 나는 어이가 없었다.

칫솔과 수건을 그냥 두고 나왔기에, 저녁 나절 다나베네 집으로 갔다.. 유이치는 외출을 했는지 집에 없었다. 나는 멋대로 카레를 만들어 먹었다.

나한테는 여기서 밥을 지어 먹는다는 것이 너무 자연스러울 정도로 자연스러운 일이야, 라고 자신에게 물은 질문의 답을 멍하니 곱씹고 있었더니, 유이치가 돌아왔다.

「어서 와」라고 내가 말했다.

그는 아무것도 모르고, 몹쓸 짓도 하지 않았는데 그의 눈을 볼 수 없었다.

「유이치, 나 갑자기 일이 생겨서 모레 이즈에 가게 됐어. 그래서, 방 엉망인 채로 그냥 나왔거든, 좀 치우고 가고 싶어서, 오늘은 집에 갈게. 음, 카레 남아 있으니까 먹어」

「어어, 그래. 그럼 차로 데려다 줄게」

라며 유이치가 웃었다.

──차가 달린다. 거리가 미끄러진다. 이제 5분이면 내가 사는 아파트에 닿는다.

「유이치」

내가 말을 꺼냈다.

「응?」

핸들을 잡은 채 그가 말했다.

「음, 우리 차 마시러 가자」

「짐도 싸야 하고, 바쁜 거 아냐? 난 아무 상관 없지만」

「아니, 차가 너무 마시고 싶어서」

「그럼 가지 뭐. 어디로 가지?」

「음, 저기, 그 미용실 위에 있는 홍차 전문점, 거기로 가자」

「너무 멀잖아」

「괜찮아, 거기가 좋을 것 같아서」

「좋아, 그렇게 하자」

영문도 모르는 채 그는 아주 친절했다. 나 기분이 굉장히 우울하니까, 지금 당장 아라비아로 달 구경 하러 가자, 고 해도 응, 하고 간단히 대답해 줄 것 같았다.

2층에 있는 그 조그만 가게는 아주 조용하고 밝았다. 하얀 벽에 둘러싸여 있는 실내가 난방으로 따뜻했다. 제일 안쪽 자리에 마주 보고 앉았다. 다른 손님은 없고, 영화의 사운드 트랙이 희미하게 흐르고 있었다.

「유이치, 곰곰 생각해 보니까 우리 둘이서 찻집에 들어온 거, 처음 아냐? 굉장히 이상하지만」

나는 말했다.

「그런가?」

유이치는 눈을 동그랗게 떴다. 그는 내가 싫어하는 얼그레이라는 냄새 나는 차를 마시고 있었다. 다나베네 집에서 깊은 밤이면 종종 이 비누 같은 냄새가 났던 기억이 난다. 고저한 한밤중에 내가 조그만 소리로 텔레비전을 틀어놓고 있으면, 유이치가 방에서 나와 홍차를 끓였다.

너무도 불확실한 시간이며 마음의 흐름 속에서도, 감각에는 여러 가지 역사가 새겨져 있다. 별로 중요하지 않았던, 그러나 소중한 일들이, 이렇게 불현듯 겨울의 찻집에서 되살아난다.

「너와는 항상 차를 꿀꺽꿀꺽 마신 기억이 있어서 설마 싶었는데, 듣고보니 정말 그렇군」

「그렇지, 이상하지?」

나는 웃었다.

「왠지, 모든 게 현실 같지가 않아」

유이치가 퀭한 눈동자로 장식 스탠드의 불빛을 쳐다보면서 말했다.

「굉장히 지쳐 있는 모양이야」

「그럼, 당연하지」

조금은 놀란 내가 말했다.

「하긴 미카게도 할머니 돌아가셨을 때, 지쳐 있었지. 지금도 생각나. 텔레비전 보다가, 지금 저거 무슨 뜻일까 싶어서, 소파에 있는 너를 올려다보면, 아무 생각도 없다…… 는 표정으로 멍하니 있는 경우가 많았지. 지금은, 이해할 수 있겠어」

「유이치, 난」

내가 말했다.

「유이치가 나한테 차근차근 말할 수 있을 만큼 침착한 게, 너무 다행스러워. 거의 자랑스러울 정도야」

「말투가 뭐 그래, 영어 번역한 것처럼」

유이치가 불빛을 받으며 미소짓는다. 감색 스웨터를 입은 어깨가 흔들린다.

「그래…… 내가」 할 수 있는 일이 있으면 말해, 라고 말하려다 그만두었다. 다만, 이렇게 밝고 따스한 장소에서, 서로 마주하고 뜨겁고 맛있는 차를 마셨다는 기억의 빛나는 인상이 다소나마 그를 구원할 수 있기를 바란다.

언어란 언제나 너무 노골적이라서, 그런 희미한 빛의 소중함을 모두 지워버린다.

밖으로 나가자, 투명하고 파란 밤이 시작되고 있었다. 얼어붙을 듯 추웠다.

차를 탈 때면 그는 늘 반대쪽 문을 열어 나를 먼저 태우고 나서 운전석에 올라탄다.

차가 움직이고, 내가 말했다.

「요즘 같은 세상에, 여자한테 문 열어주는 남자 드물어, 폼나는 일일지도 모르겠지만」

「에리코 씨한테 그렇게 교육받았거든」

유이치가 웃으며 말한다.

「그 사람은 내가 그렇게 해주지 않으면, 화가 나서 아예 차에 타지도 않았는걸」

「치 남자인 주제에」

나도 웃는다.

「그래 맞아, 남자인 주제에」

스르륵.

막처럼 침묵이 내려왔다.

거리는 밤이다. 신호를 기다리느라 멈춰 있는 차 앞으로 오가는 사람들은, 샐러리맨이나 OL이나 젊은이나 노인네나 모두 빛나고 아름답게 보인다. 조용하고 싸늘한 밤의 장막 속에서, 스웨터와 코트에 감싸여, 모두 어딘가 따뜻한 곳으로 향하는 시각이다.

……그런데 문득, 아까 그 무서운 그녀한테도 유이치가 문을 열어주었을 거란 생각이 들자, 갑자기 안전 벨트가 답답해졌다. 그리고, 아아, 이게 질투란 걸까, 싶어 경악하였다. 어린아이가 통증을 학습하듯, 알기 시작하였다. 에리코 씨를 잃고, 두 사람은 이렇게 어두운 공중에 뜬 채로, 빛의 강 속을 달리면서 하나의 대단원을 맞이하려 하고 있다.

안다. 공기의 색이며, 달 모양, 지금 달리고 있는 검정 밤하늘로 알 수 있다. 빌딩도 가로등도 서글프게 빛나고 있다.

내 아파트 앞에서 차가 멈추고,

「자 그럼, 선물 기대하고 있을 테니까」

유이치가 말했다. 이제 혼자서 그 방으로 돌아가는 것이다. 가자마자 식물들에게 물을 줄 것이다.

「역시 장어 파이가 좋을까」

내가 웃으며 말했다. 가로등 빛이 유이치의 옆얼굴을 희미하게 비추고 있었다.

「장어 파이라구? 그건 도쿄 역에 있는 매점에서도 파는데」

「그럼…… 녹차?」

「으음, 와사비 절임은 어떨까」

「뭣? 난 별론데. 맛있어. 그거?」

「나도 청어알 절인 거 말고는 별로야」

「그럼, 그걸로 사지 뭐」

나는 웃으며 차 문을 열었다.

순간, 따뜻한 차 안으로 찬 바람이 휘익휘익 불어 들어온다.

「앗, 추워!」

내가 소리를 질렀다.

「유이치, 추워, 추워, 너무 춥다」

그리고 유이치의 팔에 꽉 매달려 얼굴을 묻었다. 스웨터는 낙엽 냄새가 나고 포근했다.

「이즈 쪽은 좀 따뜻할 거야」

그렇게 말하며, 유이치는 거의 반사적으로 다른 한 팔

로 내 머리를 껴안았다.

「언제 돌아오는데?」

그가 말했다. 가슴으로 직접 목소리의 울림을 들었다.

「3박 4일이야」

나는 살며시 그에게서 몸을 떼며 말했다.

「그때쯤이면 조금은 기분이 좋아져 있을 거야. 그럼 또 차 마시러 밖으로 나가자」

유이치가 나를 보며 웃었다. 응, 이라고 대답하고 나는 차에서 내려 손을 흔들었다.

오늘 있었던 기분 나쁜 일은 일단 없었던 일로 하자.

차를 배웅하면서 나는 생각했다.

내가 그녀보다 낫다느니 못하다느니, 누구에게 말할 수 있으리. 누구의 위치가 가장 좋은지 따위, 모두 합해 보지 않는 한 아무도 모른다. 더구나 그 기준은 이 세상에 없고, 이렇게 추운 밤 속에서는 더욱이 모른다. 전혀 가늠할 수 없다.

에리코 씨에 관한 추억. 제일 슬픈 것.

무수한 식물을 창가에 놓아두고 길렀던 그녀가 제일 처음 산 것은 파인애플 화분이었다.

언젠가 그런 이야기를 들었다.

── 한겨울이었어.

에리코 씨가 말했었다.

미카게 씨, 그땐 나 아직 남자였거든.

잘생기기는 했지만, 쌍꺼풀도 안 진 데다 코도 좀 낮았지. 성형 수술하기 전이었으니까. 그 시절의 내 얼굴이 이제 생각나지 않아. 조금 쌀쌀한 여름날의 새벽녘이었다. 유이치는 외박을 하여 집에 없었고, 에리코 씨가 손님한테서 받은 고기 만두 꾸러미를 가지고 돌아왔다. 나는 늘 그러듯 낮에 녹화해 둔 요리 프로그램을 메모를 하면서 한참 보고 있는 중이었다. 파란 새벽녘 하늘이 동쪽부터 천천히 밝아오고 있었다. 애써 가지고 왔으니까, 지금 먹을까요, 라 말하고 레인지에 데우면서 재스민 차를 끓이고 있는데 느닷없이 에리코 씨가 그 얘기를 꺼낸 것이다.

나는 약간 놀랐지만, 가게에서 무슨 기분 나쁜 일이라도 있었던 모양이지 싶어 졸린 눈으로 들었다. 그녀의 목소리가 마치 꿈속에서 울리는 것 같았다.

──옛날에, 유이치의 엄마가 죽었을 때 말인데, 내가 아니고, 그 아이를 낳은, 당시 남자였던 나의 아내 말이야, 그녀는 암이었어. 점점 상태가 나빠질 무렵, 서로 사랑해서 결혼한 사이였으니까, 유이치를 동네 사람한테 억지로 떠맡기고 매일 간병하러 갔었지. 회사 때문에 출근하기 전과 퇴근 후에만 가능했지만. 그때만큼은 내내

붙어 있었어. 일요일에는 유이치를 데리고 같이 갔는데, 하기야 무슨 일인지도 모를 만큼 어렸을 때니까. ……그 시절에는 희망도 다 절망처럼 여겨졌어. 하루하루가 우울했지. 당시에는 그렇게 느끼지 못했는데, 그래서 더욱 절망적이었던 거야.

에리코 씨는 마치 달콤한 과거를 회상하듯 속눈썹을 내리깔고 말했다. 파란 공기 속에서 그녀는 가슴이 철렁 내려앉을 만큼 아름다웠다.

〈병실에, 살아 있는 게 있으면 좋겠어.〉

어느 날 아내가 그런 말을 했어.

살아 있고, 태양과 관계가 있는, 식물, 식물이 좋겠어. 꼼꼼하게 보살펴주지 않아도 되는, 아주 큰 화분을 사달라고 말이야. 평소에는 뭘 사달라고 하는 법이 없는 아내가 응석을 부리는 게 기뻐서 단박에 꽃집으로 달려갔지. 그야말로 남자였던 나는 벤자민이니 세인트 폴리 아니 하는 식물은 모르고, 선인장은 좀 뭐하고, 그래서 파인애플을 샀던 거야. 조그만 열매가 매달려 있어서, 알기가 쉬웠으니 말이야. 화분을 껴안고 병실로 들어왔더니, 그녀가 정말 기뻐하더군, 몇 번이나 고맙다고 하면서 말이야.

끝내 말기가 되어, 혼수 상태에 빠지기 사흘 전, 집에 돌아가려는데 갑자기 아내가 그러더군. 파인애플 집으로 가져가라고. 얼핏 보기에는 그녀, 별로 상태가 나쁜 것 같지도 않았고, 물론 암이라는 것도 알리지 않았는데, 유언조로 말하는 거야. 나는 움찔 놀라서, 마르든 어쩌든 여기 놔두라고 말했지. 하지만 아내는, 물도 줄 수 없으니까, 남쪽에서 온 무성한 식물에 죽음이 깃들이기 전에 가지고 가라고 울면서 부탁하는 거였어. 할 수 없이 집으로 갖고 돌아왔지. 껴안고 말이야.

남자인 주제에 나, 엉망진창으로 울어서, 추워 죽겠는데도 택시를 탈 수가 없는 거야. 그때 처음으로 남자는 딱 질색이라고 생각했는지도 모르겠어. 그리고 조금 마음을 가라앉히면서 역까지 걸어가서, 선술집에 잠깐 들러 술을 마시고 전철을 타고 돌아가기로 했지. 밤이라 폼에는 사람도 별로 없고, 얼어붙을 것처럼 차가운 바람만 불었더랬어. 화분을 꼭 껴안고 뾰족뾰족한 파인애플 잎에다 볼을 대고 벌벌 떨면서——오늘 밤 서로 마음을 나눌 수 있는 것은 이 세상에 파인애플과 나뿐이라고, 마음으로 그렇게 생각했었지. 눈을 감고 바람에 온몸을 드러내고 추위에 떨고 있는, 이 두 생명만이 같이 슬퍼하고 있다고. ……누구보다 서로를 잘 알고 있는 아내는, 나보다, 파인애플보다 먼저 죽음과 친해지고 만 거야.

그후 아내는 곧 죽고, 파인애플도 죽어버렸어. 나, 어떻게 키워야 되는지 몰라 물을 너무 많이 주었거든. 파인애플 화분을 정원 한 구석에 밀쳐두고, 뭐라 표현할 수는 없지만 깨달은 일이 있었어. 말로 하면 아주 간단하지. 세계는 딱히 나를 위해 있는 것이 아니다. 그러니까, 나쁜 일이 생길 확률은 절대로 변하지 않는다. 나 혼자서는 결정할 수 없다. 그러니까 다른 일에는 대범하게, 되는 대로 명랑하게 지내는 편이 좋다, 고. ……그래서 여자가 되었고, 지금에 이르렀어.

그 무렵 나는 그 말의 의미를 파악하지 못해서, 무슨 소린지 모르겠어서, 〈즐거움이란 그런 것인가〉하고 생각했던 것을 기억하고 있다. 하지만 지금은 토악질이라도 날 것처럼 잘 안다. 왜 사람은 이렇듯 선택할 수 없는 것일까. 버러지처럼 짓뭉개져도, 밥을 지어먹고 잠든다. 사랑하는 사람들은 모두 죽어간다. 그런데도 살아가지 않으면 안 된다.

……오늘도 밤은 어둡고 숨은 답답하다. 각자 끝없이 헤매이는 무거운 잠 때문에 싸우는 밤.

이튿날은 화창하게 개었다.

아침, 빨래를 하고 있는데 전화 벨이 울렸다.

11시 반에? 전화가 걸려올 시간이 아니다.

고개를 갸웃하고 수화기를 들자,

「앗, 미카게 씨? 오랜만이야!」

라며 짜랑짜랑한 목소리가 들려왔다.

「치카 씨?」

나는 깜짝 놀라 물었다. 밖에서 거는 전화인지 차 소리 때문에 시끄러웠지만, 목소리는 내 귀에 또렷하게 닿아 그 모습을 떠오르게 하였다.

치카 씨는, 성전환 수술을 한 사람으로 에리코 씨의 게이 바에서 치프로 일했었다. 옛날에는 다나베네 집으로 곧잘 자러 오기도 하였다. 에리코 씨가 죽은 후, 그녀가 가게를 운영하고 있다.

그녀, 라고는 하지만, 치카 씨는 에리코 씨에 비해, 아무리 봐도 남자란 인상을 지울 수가 없다. 그러나 화장을 하면 싹 달라지는 생김새에, 키도 크고 날씬하다. 화려한 드레스가 잘 어울리고, 몸짓도 유연하다. 한번은 전철 안에서 초등학생이 놀리면서 치마를 걷어올려, 그만 엉엉 울어버리고 만 소심한 사람이다. 별로 인정하고 싶지는 않지만 그녀와 함께 있으면 내 쪽이 훨씬 더 남자다운 듯한 기분마저 든다.

「있지 나 지금, 역에 있는데, 잠깐 나오지 않을래? 할 얘기가 있어. 점심 먹었어?」

「아직」

「그럼 지금 바로 사라시나로 와, 알았지!」

치카 씨는 황급하게 그렇게 말하고 전화를 끊었다. 어

쩔 수 없이 나는 빨래 널기를 그만두고 서둘러 집을 나왔다.

구름 한 점 없이 맑은 한겨울 낮의 거리를 성큼성큼 걸었다. 역 앞 쇼핑가에 있는 그 메밀국수집으로 들어서자, 치카 씨는 아래 위로 민족 의상인 스위트 수트 차림으로 우동을 먹으며 기다리고 있었다.

내가 다가가자,

「어머나, 오랜만이네! 이제 어엿한 숙녀네, 추근대지도 못하겠어」

라고 큰 소리로 말했다. 부끄럽다기보다, 반가움에 눈시울이 시큰하였다. 이토록 꾸밈이 없고, 어디에 내놔도 부끄럽지 않다는 식의 웃는 얼굴을 나는 달리 알지 못한다. 치카 씨는 온 얼굴 가득 웃음을 띠고 나를 보고 있었다. 조금 수줍어진 나는 메밀국수 주세요, 라고 큰 소리를 질렀다. 가게 아줌마가 종종걸음으로 다가와, 물컵을 탁 내려놓았다.

「무슨 얘긴데?」

메밀국수를 먹으면서 내가 먼저 말을 꺼냈다.

그녀는 늘 별 대수롭지도 않은 의논 거리로 할 얘기가 있다고 하니까 이번에도 그러려니 했는데, 그녀는 대단한 말이라도 하는 양 속삭거렸다.

「그게 말이지, 유 씨 일이야」

내 마음이 쿵 하고 소리를 냈다.

「걔 있지, 어젯밤 가게에 와서, 아아, 잠이 안 와! 라는 거야. 기분도 별로 안 좋고 하니까 기분전환하러 어디 가자고 야단이더라니까. 아아, 착각하지 마. 난, 그 애가 요만했을 때부터 알고 지낸 사이니까. 이상한 관계가 아니고, 말하자면 부모 자식 간이야, 부모 자식」

「알고 있어」

나는 웃으며 말했다. 치카 씨는 말을 이었다.

「나, 깜짝 놀랐다니까. 나 좀 멍청하잖아, 그래서 사람들 기분 같은 거 잘 모르는데…… 그래도 걔 절대로 남한테 약한 구석 보이는 애 아니잖아? 울기는 잘하지만, 엄살은 안 부리잖아. 그런데 영 떼를 쓰는 거야. 어디 가자고. 어쩐 일인지 유 씨, 그대로 땅 속으로 꺼져 버릴 것처럼 기운이 없었어. 그래서 데리고 어디 가고 싶기는 했지만, 지금 가게 수리중이거든. 다른 사람들도 아직 불안정하고, 내가 자리를 비울 수가 없어. 계속 안 된다고 했더니, 그럼, 혼자 다녀오지 하면서 풀이 팍 죽어서. 그래서 내가 알고 있는 여관 소개해 주기는 했는데」

「……응, 응」

「그런데 내가 장난삼아, 미카게 씨랑 가! 라고 했거든. 정말 농담이었어. 그랬더니 유 씨, 심각한 표정으로, 그 녀석, 일 때문에 이즈 가는 걸. 게다가 더 이상 그 녀석을 우리 가족 일에 끌어들이고 싶지 않아. 지금 열심히 지내고 있는데, 미안해서, 라는 거야. 뭔가 집히는 게 있더라구. 너, 그거 사랑 아니야? 맞지, 절대로 사랑이야. 그렇지, 나 유 씨가 묵고 있는 여관 전화번호 아니까, 미카게 씨, 가줘!」

「치카 씨」

나는 말했다.

「난 말이지, 내일 일 때문에 여행 떠나」

나는 충격을 받았다.

나는 유이치의 기분을 손에 잡힐 듯 알 수 있다, 안다, 는 기분이 들었다. 유이치는 지금, 나보다 몇 백 배나 더 강렬하게 어딘가 멀리로 가고 싶은 것이다. 아무 생각 하지 않아도 좋을 장소로, 혼자 가고 싶은 것이다. 나를 포함한 모든 것을 피해, 어쩌면 당분간 돌아오지 않을지도 모른다. 나는 확신했다.

「일이 다 뭐야」

치카 씨는 몸까지 내게로 내밀고 말했다.

「이런 때, 여자가 해줄 수 있는 일은 딱 한 가지. 아니면 뭐야? 혹시 너 아직 처녀? 아니면, 너희들, 벌써 한 거야?」

「치카 씨」

그럼에도 나는 세상 사람들이 다들 치카 씨 같으면 좋

겠다는 생각을 한다. 치카 씨의 눈에 비치는 나와 유이
치는, 실제보다 훨씬 행복해 보였기 때문이다.

「생각은 해보겠지만, 나도 에리코 씨 일, 들은 지 얼
마 안 됐고, 그래서 머릿속이 혼란스러운데, 유이치는
오죽하겠어. 그런데 어떻게 그런……」

그러자 치카 씨는 갑자기 심각한 표정으로 얼굴을 들
었다.

「……맞아. 나, 그날 밤 가게에 안 나가서, 에리 씨
임종도 지키지 못했거든. 그래서 아직 믿을 수가 없어
서…… 하지만 그 남자의 얼굴은 알고 있었어. 그놈이
가게에 들락날락하는 동안, 에리코가 나한테 자세하게
의논이라도 해주었으면, 절대로 그런 일 일어나지 않게
했을 텐데. 유 씨도 분한 거지 뭐. 그렇게 착한 애가 일
그러진 표정으로 뉴스 보면서, 〈사람을 죽이는 놈들은
다들 죽어야 돼〉라고 했을 정도니까. 유 씨도 외톨이가
되었어. 무슨 일이든 혼자서 해결하려는 에리 씨의 성격
이 이런 결과를 낳다니, 너무하지」

치카 씨의 눈에서 방울방울 눈물이 떨어졌다. 내가, 아,
아, 답답해하는 사이에 치카 씨는 엉엉 소리내어 울기
시작했다. 가게 안 손님들이 우리 쪽을 힐금힐금 보았
다. 치카 씨는 푸들푸들 떨면서 울었고, 곁에 있는 장국
물에 눈물이 똑똑 떨어졌다.

「미카게 씨, 난 외로워. 왜 이런 거지? 신이 없는 걸까. 앞으로 다시는, 에리 씨를 만날 수 없다니, 어이가 없어서」

하염없이 우는 치카 씨를 데리고 가게에서 나왔다. 그 높은 어깨를 껴안고 역까지 걸어갔다.

미안, 이라며 레이스 손수건으로 눈두덩을 누르고, 개찰구에서 치카 씨는 나한테 유이치가 묵을 여관의 전화번호와 지도가 적힌 메모지를 재빨리 쥐여주었다.

──과연, 물장수. 할 일은 다하네.

라고 감탄하면서, 나는 그 널찍한 등을 애처로운 심정으로 배웅하였다.

나는 그녀의 성급함도, 헤픔도, 영업 사원 노릇을 하다가 일을 감당하지 못해 그만둔 과거도, 다 알고 있는데…… 지금 그 눈물의 아름다움은 잊기 어렵다. 사람의 마음에는 보석이 있다고 생각게 한다.

팽팽하고 투명하게 개인 파란 겨울 하늘 아래서, 서글프다. 나마저 어째야 좋을지를 모른다. 하늘이 파랗다, 파랗다. 메마른 나무들의 그림자가 짙게 드리워져 있고, 차가운 바람이 분다.

〈신은 없는 걸까〉

나는 그 다음날, 예정대로 이즈로 떠났다.

선생과, 스태프 몇 명과, 카메라 맨, 머릿수가 그리 많지 않아 신나고 오붓한 여행이 될 것 같았다. 일정도 그렇게 빡빡하지 않다.

역시, 이런 생각이 든다. 지금의 나한테는——꿈같은 여행이다. 하늘에서 떨어진 선물 같은 것이다.

이 반년에서 해방된 듯한 기분이다.

이 반년…… 할머니가 돌아가신 무렵부터, 에리코 씨가 죽기까지, 나와 유이치 두 사람은 표면적으로는 항상 웃는 얼굴이었지만, 내면은 점점 복잡해졌다. 기쁜 일이나 슬픈 일이나 너무 벅차서 그냥은 버티기 어려웠다. 그래서 둘은 고심고심 평온한 공간을 만들어갔다. 거기서 에리코 씨는 빛나는 태양이었다.

그 모든 것이 마음에 스며 나를 변화시켰다. 안이하고 권태로웠던 공주님은 지금 거울 속에서나 간신히 그 흔적을 볼 수 있을 만큼 멀리 떠나와 버리고 말았다.

차창으로 스치는 청명한 바깥 경치를 바라보면서, 나는 자신의 내부에 생겨난 가늠할 길 없는 거리를 호흡하였다.

……나도 지쳐 있다. 나 역시, 유이치를 떠나 편해지고 싶다.

그건 아주 슬픈 일이지만, 역시 그렇다고 생각한다.

그 밤의 일이다.

나는 잠옷 바람으로 선생 방에 가서 말했다.

「선생님, 무지무지하게 배가 고픈데 밖에 나가서 뭐 먹고 와도 되나요?」

함께 있던 선배 스탭이,

「미카게 씨, 아무것도 안 먹었으니까」

라며 소리내어 웃었다. 그녀들도 벌써 잠옷을 입고 이불 위에 앉아 잘 준비를 하고 있었다.

나는 정말 배가 고팠다. 그 여관의 명물이라는 채소 요리가, 음식을 잘 가리지 않는 내가 유독 싫어하는 채소만 줄줄이 들어 있어, 제대로 먹을 수가 없었던 것이다. 선생은 웃으면서 용납해 주었다.

밤 10시가 넘었다. 나는 긴 복도를 터덜터덜 걸어 일단 내 방으로 돌아가 옷을 갈아입고 여관을 나왔다. 혹 내가 나간 줄도 모르고 문을 잠가버리면 큰일이다 싶어 뒤쪽 비상구 문을 살짝 열어두었다.

그날은 그 끔찍한 요리를 취재하는 게 일이었으니, 내일은 밴을 타고 다시 이동한다. 달빛 속을 걸으면서 나는 마음속으로 생각했다. 이렇게 내내 여행이나 하면서 살 수 있으면 좋겠다고. 반길 가족이 있다면 낭만적인 기분일 텐데, 나는 그야말로 피붙이 하나 없이 외톨이라서 뼛속 깊은 고독을 느낀다. 하지만 그렇게 사는 것이 자신한테 가장 어울릴 듯한 기분마저 든다. 여행지에서의 밤은 언제나 공기가 깨끗하여, 마음까지 맑아진다.

어차피 나는 나일 뿐이니, 이렇게 맑은 인생을 보낼 수 있다면, 하고 생각한다. 그런데 난감하게도 유이치의 마음을 알아버렸다. ……두 번 다시 그 도시로 돌아가지 않을 수 있다면, 얼마나 편할까.

여관들이 죽 늘어서 있는 길을 걸어 내려갔다.

산들의 검은 그림자가 어둠보다 한결 검고 무겁게 길을 응시하고 있다. 유카다(목욕 후에 입는 일본식 홑 면옷 ──옮긴이) 위에 덧옷을 입은 술 취한 관광객들이 우글우글, 큰 소리로 웃으며 오간다.

나는 뜻밖에도 마음이 들뜨고 신났다.

홀로, 별 아래 낯선 곳에 있다.

가로등 밑을 지날 때마다 늘어났다 줄어드는 그림자 위를 걸어갔다.

시끌벅적한 술집은 겁이 나서 피했다. 그러자 역 근처까지 가고 말았다. 불이 꺼져 깜깜한 기념품 가게 유리창 안을 들여다보다, 아직 문이 열려 있는 국수집 불빛을 발견하였다. 우윳빛 유리문 속을 들여다보니, 카운터밖에 없어 단촐하고, 손님도 딱 한 명밖에 없었다. 나는 안심하고 문을 열고 안으로 들어갔다.

나는 좀 풍성한 음식이 먹고 싶어서,

「돈까스 덮밥 주세요」

라고 주문했다.

「돈까스 튀겨야 되니까, 좀 시간이 걸릴 텐데 괜찮은가?」

가게 아저씨가 물었다. 나는 고개를 끄덕였다. 새로 단장을 한 모양이다. 원목 냄새가 풍기고 구석구석 손길이 닿아 있어 분위기가 좋았다. 이런 가게는 대개 맛도 좋다. 나는 기다리다가, 손 닿는 곳에 놓여 있는 핑크색 전화기를 보았다.

나는 손을 뻗어 수화기를 들고, 아주 자연스런 기분으로 메모를 꺼내 유이치가 묵고 있을 여관에 전화를 걸어보았다.

여관집 주인이 유이치에게 전화를 돌리는 동안, 문득 생각하였다. 내가 에리코 씨의 죽음을 안 후 그한테서 지속적으로 느끼고 있는 이 불안함은 〈전화〉를 닮았다. 그후부터 유이치는 내 눈앞에 있는데도 전화 저편에 있는 것처럼 느껴졌다. 그리고 그곳은 지금 내가 살고 있는 곳보다 한결 파란, 바닷속 같은 곳이란 기분이 들었다.

「여보세요?」

유이치가 전화를 받았다.

「유이치?」

나는 안도하였다.

「미카게야? 어떻게 내가 여기 있는 줄 알았지? 아, 참 치카 씨인가」

조금 멀리 떨어진 그 조용한 목소리가 케이블을 타고, 밤을 달려온다. 나는 눈을 감고 그리운 유이치의 목소리의 울림을 듣고 있었다. 그것은 애처로운 파도 소리처럼 들렸다.

「거기, 뭘로 유명한 덴데?」

「데니즈. 아하, 그건 거짓말이고. 산 위에 신사가 있는데, 그게 유명한가. 산기슭에는 온통 절간 음식이라나, 두부 요리 파는 여관들 투성이고, 나도 저녁 때 먹었어」

「어떤 요리? 흥미로운데」

「아아, 관심이 있단 말이지. 그게 온통 두부, 두부야. 맛은 있는데, 아무튼 온통 두부. 두부 찜에다 된장 바른 두부, 두부 튀김, 유자하고 깨 뿌린 두부, 전부 두부. 장국에 계란 두부가 들어가 있는 정도는 말할 것도 없고. 딱딱한 게 좀 먹고 싶어서, 마지막 코스는 밥이겠지 하고 기다렸더니, 웬걸 차 죽이 나오더라니까. 할아범이 된 기분이었어」

「우연이네. 나도 지금 배고파 죽겠는데」

「왜, 음식 안 나왔어?」

「내가 싫어하는 것만 골라서 나왔어」

「니가 싫어하는 것들이라니, 아주 확률이 낮을 텐데, 운이 나빴군」

「괜찮아, 내일은 맛있는 것 먹을 수 있으니까」

「좋겠다. 난 내일 아침 상이 눈에 보인다…… 데친 두부겠지」

「그, 조그만 질 냄비를 고체 연료로 데우는, 그걸 거야. 틀림없어」

「그래, 치카 씨가 자기가 두부 좋아하니까 여기 소개해 줬는데, 하긴 굉장히 좋은 곳이기는 해. 창문도 크고, 폭포 같은 것도 보이고. 그렇지만 한참 성장중인 나는 지금 칼로리가 높고 기름기 있는 음식이 먹고 싶다구. ……신기하네. 같은 밤하늘 아래서 지금 둘 다 배를 쫄쫄 곯고 있다니」

유이치가 웃었다.

몹시 바보스럽기는 하지만, 나는 그때, 난 지금 돈까스 덮밥 먹을 거라구! 라고 자랑할 수가 없었다. 어째서인지, 더없는 배신처럼 여겨지고, 유이치의 머릿속에서 함께 굶어주고 싶었다.

나의 감각은 그때, 소름끼칠 만큼 깨어 있었다. 나는 손에 잡힐 듯 알 수 있었다.

둘의 마음은 죽음으로 에워싸인 어둠 속에서, 완만한 커브를 그리며 돌고 있었다. 그리고 그 커브가 지금 거의 맞닿으려 하고 있다. 그러나 지금이 지나면 서로 다른 회로를 따라 떨어지고 만다. 지금 여기를 지나면, 두 사람은 이번에야말로 영원한 친구로 남는다.

틀림없다, 나는 알고 있었다.

하지만 나는 어째야 하는지를 모른다. 그래도 좋을 듯한 기분마저 든다.

「언제쯤 돌아올 건데?」

내가 물었다.

유이치는 잠시 침묵한 후,

「금방」

이라고 대답했다. 거짓말 못하는 녀석, 이라고 나는 생각했다. 분명 돈이 떨어질 때까지 그는 도망칠 것이다. 그리고, 지난번 에리코 씨의 죽음을 지연시켰던 때처럼 똑같은 어색함을 짊어지고 나한테 연락하지 않는다. 그게 그의 성격이다.

「그럼 또 보자」

나는 말했다.

「응, 그래」

그는 왜 도망치고 싶어하는지, 스스로도 모를 것이다.

「손목을 긋는 일은 없겠지」

내가 웃으며 말했다.

「힛」

웃으며 유이치가 전화를 끊었다.

순간 엄청난 탈진감이 덮쳐왔다. 수화기를 내려놓고

망연히, 유리창문을 쳐다보면서, 바람에 흔들리는 밖의 소리를 듣고 있었다. 오가는 사람들이, 춥다고 중얼거리는 소리가 들렸다. 밤은 오늘도 온 세계에 공평하게 찾아왔다 지나간다.

사람이란 상황이나 외부의 힘에 굴하는 것이 아니라 바로 그 자신의 내면 때문에 지는 것이다. 이 무력감, 지금 그야말로 바로 눈 앞에서 끝내고 싶지 않은 것이 끝나가고 있는데, 조금도 초조하거나 슬퍼할 수 없다. 한없이 어두울 뿐이다.

아무쪼록, 좀더 밝은 빛이나 꽃이 있는 곳에서 천천히 생각하고 싶다. 그러나 그때는 이미 늦다.

드디어 돈까스 덮밥이 나왔다.

나는 정신을 가다듬고 나무 젓가락을 갈랐다. 배가 고프면……먹어야지, 라고 생각하기로 했다. 모양새도 먹음직스럽게 생겼지만, 먹어보니 정말 맛있다. 굉장한 맛이다.

「아저씨, 정말 맛있네요!」

나도 모르게 큰 소리로 말했다.

「그렇지」

라며 아저씨는 뿌듯하게 웃었다.

아무리 배가 고프다지만 나는 프로다. 이 돈까스 덮밥은 거의 행복한 만남이라고 해도 좋을 정도의 솜씨다.

고기의 질하며, 소스의 맛하며, 계란과 양파를 익힌 정
도하며, 고실고실하게 지은 밥하며, 어디 흠잡을 데가
없다. 그러고 보니 낮에 선생이, 사실은 그 집을 취재하
고 싶었는데, 라며 이 가게 얘기를 했던 게 기억난다. 나
는 운이 좋다. 아아, 유이치가 같이 있다면, 하고 생각한
순간, 나는 충동적으로 말을 뱉고 말았다.
　「아저씨, 포장도 되나요? 일인분 더 만들어주시겠어
요?」

　그리하여 가게를 나온 나는, 깊은 밤 부른 배에, 아직
따끈한 돈까스 덮밥 팩을 들고 어쩔 줄 몰라 한길에 우
뚝 서 있는 꼴이 되고 말았다.
　내가 정말 무슨 생각을 하고 있었던 거지, 어쩌나······
하고 주춤거리고 있는데, 택시를 기다리는 줄 알고 바로
눈앞으로 미끄러져 온 빈 택시를 본 순간, 결심하였다.
　택시에 올라타 말했다.
　「I시까지 가주실 수 있어요?」
　「I시?」
　운전사가 얼빠진 목소리로 되물으며 나를 돌아보았다.
　「나야 고맙지만, 멀어서, 요금도 많이 나올 겁니다, 손
님」
　「네 좀, 급한 일이 있어서요」

나는 황태자 앞으로 나선 잔 다르크처럼 당당하게 말
했다. 이런 정도면 신용할 수 있겠지, 라고 생각됐다.
　「그리고, 도착하면 일단 편도 요금 지불할 테니까, 한
20분쯤 기다려주세요. 그리고 다시 돌아와 주셨으면 해
요」
　「연애 사건이로군요」
　그는 웃었다.
　「네 뭐 그런 비슷한 거예요」
　나도 씁쓸히 웃었다.
　「좋아요, 가죠」
　택시는 I시를 향해 한밤을 달렸다. 나와 돈까스 덮밥
을 태우고.

　낮의 피로 때문에 잠시 끄덕끄덕 존 나는, 다른 차가
거의 없어 쌩쌩 달리는 도중, 불현듯 눈을 떴다.
　손발은 아직 잠 속에 있어 따스했지만, 의식만은 〈각
성〉 같은 또렷한 느낌으로 깨었다. 어두운 차 안에서 창
을 향하여 몸을 곧추세우고 자세를 고치자, 운전수가,
　「길이 텅 비어 있어서 금방 왔어요. 이제 곧 도착합니
다」
　라고 말했다.
　나는, 네에, 라고 대답하고 하늘을 올려다보았다.

달은 높고 밝은 달이 별빛을 지우면서 밤하늘을 건너가고 있다. 만월이었다. 구름에 가렸다가, 슬며시 또 모습을 나타낸다. 차 안이 더워, 유리창에 김이 서렸다. 나무들과 밭, 산 그림자가 조각 그림처럼 스쳐 지나간다. 가끔 트럭이 무시무시한 소리를 내며 추월하면, 잠잠해진 아스팔트에 달빛이 어린다.

──드디어 택시가 I시로 들어섰다.

깊이 잠든 어두운 거리, 민가의 지붕에 섞여 조그만 신사의 기둥이 여기저기 서 있었다. 좁은 언덕길을 쑥쑥 올라간다. 산으로 이어지는 케이블 카의 굵은 선이 어둠 속에 떠 있다.

「이 부근의 여관은 말이죠, 옛날, 스님은 고기를 먹으면 안 된다고 해서 두부를 여러 가지로 조리해서 먹었죠, 그걸 뭐라고 하나, 지금은 현대식으로 조리해서 손님한테 대접하는 걸로 유명합니다. 손님도 이 다음엔 낮에 와서 한번 잡숴보세요」

운전수가 말했다.

「그런 모양이더군요」

나는 어둠 속에서 똑같은 간격으로 다가오는 가로등 불빛에 지도를 비쳐보았다.

「아, 다음 모퉁이에서 세워주세요. 바로 돌아올 테니까」

「네, 네」

라고 말하고 그는 차를 급정거시켰다.

밖은 오싹할 정도로 추워, 금방 손과 볼이 얼었다. 장
갑을 꺼내 끼고는, 달빛 어린 언덕길을 돈까스 덮밥이
든 배낭을 메고 올라갔다.

불안한 예감은 적중하였다.
그가 묵고 있는 여관은 한밤의 불청객을 쉬 받아들이
는 낡은 구조가 아니었다.
앞쪽 현관은 자동 유리문이라 단단히 잠겨 있고, 바깥
계단 쪽 비상구도 잠겨 있었다.
할 수 없이 나는 도로로 다시 돌아가 전화를 걸어보았
지만 아무도 받지 않았다. 당연하다, 한밤인 것이다.
나는 이렇게 먼 데까지 대체 뭘 하러 온 거지, 싶어
캄캄한 여관 앞에서 망연자실했다.
그러고는 특별한 이유도 없이 포기하지 못하고 여관
정원으로 돌아가 비상구 옆 좁은 길을 빠져나갔다. 유이
치가 말한 대로 이 여관은 폭포가 보이는 정원을 간판
삼고 있는지, 모든 창문이 폭포가 보이도록 정원을 향하
고 있었다. 창문은 하나같이 캄캄했다. 나는 한숨을 쉬
고 정원을 바라보았다. 바위 위로 건널 수 있는 난간이
있고, 높은 데서 떨어지는 폭포수가 좌좍 소리를 내며

이끼 낀 바위로 떨어진다. 차가운 물방울이 어둠 속에서 하얗다. 그 폭포 전체를 밝은 녹색 라이트가 여러 방향에서 비추고 있어, 부자연스러울 정도로 선명한 정원수의 색을 부각시키고 있다. 그 광경은 디즈니랜드의 정글 크루즈를 연상케 했다. 가짜 녹색이라고 생각하면서 다시 한번 줄줄이 박혀 있는 캄캄한 창문을 바라보았다.

순간, 나는 무슨 근거로일까, 확신했다.

라이트 빛을 반사하며 녹색으로 빛나는, 바로 앞 모퉁이 방이 유이치가 묵고 있는 방이다.

그런 확신이 들자 당장이라도 창문 안을 들여다볼 수 있을 것 같아, 나는 쌓여 있는 정원석을 조심조심 타고 올랐다.

그러자, 1층과 2층 사이에 있는 장식 지붕 끝이 바로 코앞으로 보였다. 발돋움을 하면 닿을 듯하다. 불안정하게 쌓여 있는 정원석을 발로 디뎌 확인하면서 두 단, 세 단 오르자, 한층 가까워진다. 나는 시험 삼아 물받이로 손을 뻗어보았다. 간신히 닿는다. 나는 힘껏 점프하여 한 손으로 물받이를 잡고, 다른 한 손에 다시 힘을 주어 장식 지붕 위로 팔꿈치까지 얹고는 기와를 꽉 잡았다. 돌연, 건물의 벽면이 수직으로 치솟고, 내 단련되지 않은 운동 신경이 움츠러드는 소리가 들렸다.

장식 지붕에서 비져나온 기와를 잡은 채, 아슬아슬하

게 발돋움을 하고 오도가도 못하는 나는 뾰족한 수가 없었다. 추위로 팔이 저리고, 공교롭게도 배낭 한쪽 끈이 어깨에서 흘러내렸다.

어쩌지, 하고 생각했다. 순간적인 충동이었는데, 지붕에 매달려 하얀 숨을 쉬고 있는 꼴이라니, 한심하군.

아래를 보니, 아까 발을 딛고 있던 부근이 한층 어둡고, 멀다. 폭포 소리가 유난히 크게 들린다. 할 수 없다. 나는 팔에 한껏 힘을 주고 턱걸이를 시도하였다. 아무튼 상반신을 지붕 위에 올려놓으려고, 반동을 주어 힘차게 벽을 찼다.

지직, 소리가 나고, 따가운 통증이 오른쪽 팔을 자극하였다. 나는 기듯이 그 장식 지붕의 콘크리트 위로 굴렀다. 빗물인지 더러운 물구덩이에 다리가 처벅 잠겼다.

아―아, 벌렁 누운 자세로 팔을 보았더니, 지금 막 생긴 찰과상이 빨갛게 물들어 있어 현기증이 났다.

원래는 모두가, 이렇지 뭐.

배낭을 옆으로 내던지고 누운 채로 여관 지붕을 올려다보고, 그보다 높은 곳에서 빛나는 달과 구름을 쳐다보면서 생각했다.

(그런 상황에서 용케도 그런 생각을 다 했다 싶다. 질투였을까. 행동하는 철학자라 해주었으면 좋겠다.)

사람들은 모두, 여러 가지 길이 있고, 스스로 선택할

수 있다고 생각한다. 선택하는 순간을 꿈꾼다고 말하는 편이 정확할지도 모르겠다. 나 역시 그랬다. 그러나 지금 알았다. 말로서 분명하게 알았다. 길은 항상 정해져 있다, 그러나 결코 운명론적인 의미는 아니다. 나날의 호흡이, 눈길이, 반복되는 하루하루가 자연히 정하는 것이다. 그리하여 사람에 따라서는 이렇게, 정신을 차리니 마치 당연한 일이듯 낯선 땅 낯선 여관의 지붕 물구덩이 속에서 한겨울에, 돈까스 덮밥과 함께 밤하늘을 올려다보지 않을 수 없게 된다.

——아아, 달이 너무 예쁘다.

나는 일어나 유이치의 방 창문을 노크하였다.

꽤 기다린 듯하다. 젖은 발에 바람이 불어 절절 저릴 무렵, 갑자기 방의 불이 환하게 켜지고, 겁먹은 표정의 유이치가 등장하였다.

창문에서 보면 반신밖에 보이지 않는 나를 발견하고 눈이 동그래진 유이치가, 미카게? 라고 입을 움직였다. 그리고 내가 다시 창문을 노크하여 화답하자, 서둘러 창문을 덜컹덜컹 열었다. 내가 내민 꽁꽁 얼어붙은 두 손을 유이치가 잡아당겨 주었다.

갑자기 시야가 밝아져 눈이 깜박거렸다. 방 안은 다른 세계처럼 따뜻하여, 갈갈이 찢겼던 몸과 마음이 간신히 하나로 돌아온 듯한 기분이었다.

「돈까스 덮밥 배달하러 왔어」

내가 말했다.

「혼자 먹기가 아까울 정도로 맛있어서」

그리고 배낭에서 돈까스 덮밥 팩을 꺼냈다.

형광등이 파랗게 다다미를 비추고 있었다. 텔레비전 소리가 낮게 흐르고 있다. 이불은 지금 유이치가 빠져나온 모양 그대로 정지해 있었다.

「옛날에도 이런 일, 있었지」

유이치가 말했다.

「꿈속에서 얘기했었지. 지금도, 그런 건가?」

「노래라도 부를래? 둘이 같이」

나는 웃었다. 유이치를 보는 순간, 내 마음의 현실감도 저 멀리로 달아났다. 지금까지 잘 알고 지냈다는 것도, 같은 방에서 생활했던 일도, 모든 것이 먼 꿈처럼만 여겨졌다. 그의 마음은 지금, 이 세상에 없고, 나는 그의 싸늘한 눈동자가 무서웠다.

「유이치, 미안하지만 차 한 잔만 줄래? 나 바로 가야 되거든」

꿈이라도 좋으니까, 라고 나는 덧붙였다.

「응」

그가 마호병과 차 주전자를 가져왔다. 그리고 김이 오르는 뜨거운 차를 우려주었다. 나는 두 손으로 찻잔을 감아쥐고 마셨다. 이제 겨우 안도한다. 되살아난다.

그러고는 방의 무거운 공기를 새삼스레 느낀다. 어쩌면 이곳은 정말 유이치의 악몽 속인지도 모르겠다. 내가 여기 오래 있으면 있을수록, 나 역시 유이치의 악몽의 일부가 되어, 어둠으로 꺼져버릴 것 같다. 이대로, 희미해진 인상으로, 운명으로——내가 말했다.

「유이치, 사실은 돌아가고 싶지 않은 거지? 지금까지의 인생과 깨끗이 결별하고 다시 시작할 생각이지. 거짓말하면 안 돼. 난, 알아」

언어는 절망을 말하고 있는데, 이상하게도 침착하다.

「하지만 지금은, 아무튼 이거 먹어. 자, 먹어」

눈물이 나올 정도로 파란 침묵이 밀려왔다. 눈꺼풀을 내리깐 유이치가 돈까스 덮밥을 받아든다. 생명을 벌레처럼 파먹는 그 공기 속, 예기치 못한 무언가가 우리의 뒤를 밀었다.

「미카게, 그 손 어떻게 된 거야?」

내 상처를 본 유이치가 물었다.

「괜찮으니까, 조금이라도 따뜻할 때 먹어봐」

나는 미소지으며 손바닥을 보였다.

여전히 석연치 않다는 표정으로,

「응, 맛있겠는데」

라고 말하고 유이치는 뚜껑을 열었다. 그리고 아까 아

저씨가 정성스럽게 담아준 돈까스 덮밥을 먹기 시작했다.

그런 그의 모습을 보는 순간, 내 기분은 한결 가벼워졌다.

할 수 있는 일은 했다, 싶었다.

——나는 안다. 즐거웠던 시간의 빛나는 결정이, 기억 속의 깊은 잠에서 깨어나, 지금 우리를 떠밀었다. 싱그럽게 불어오는 바람처럼, 향기로웠던 그날의 공기가 내 마음에 되살아나 숨쉰다.

또 하나, 가족에 관한 추억.

에리코 씨가 돌아오기를 기다리면서 둘이서 컴퓨터 게임을 했던 밤. 그후 셋이서 졸린 눈을 비비면서 해물 빈대떡을 먹으러 갔다. 일 때문에 축 늘어져 있는 나에게 유이치가 준 이상한 만화. 그걸 읽고 에리코 씨도 눈물이 나올 정도로 웃었던 일. 화창한 일요일 아침, 오믈렛 냄새. 바닥에서 잠들 때마다 살며시 덮어지는 담요의 감촉. 걸어가는 에리코 씨의 치마와 날씬한 다리가 반짝 뜬 눈 저편에서 뿌옇게 보인다. 유이치가 취한 그녀를 차로 데리고 오고, 둘이서 껴안고 방 안으로 들어간 일…… 여름 축제날, 에리코 씨가 유카타 허리띠를 꽉 매주었다, 그 저녁 하늘을 가득 메웠던 고추잠자리.

정말 좋은 추억은 언제든 살아 빛난다. 시간이 지날수록 애처롭게 숨쉰다.

수많은 낮과 밤, 우리는 함께 식사를 하였다.
언젠가 유이치가 말했다.
「왜 너랑 밥을 먹으면, 이렇게 맛있는 거지」
나는 웃으며,
「식욕과 성욕이 동시에 충족되기 때문 아닐까?」
라고 말했다.
「아니야, 달라. 그게 아니야」
웃음을 터뜨리며 유이치가 말했다.
「아마 가족이기 때문일 거야」

　에리코 씨가 없는데도 두 사람 사이에 그 시절의 명랑
한 분위기가 되살아났다. 유이치는 돈까스 덮밥을 먹
고, 나는 차를 마시고, 어둠은 이미 죽음을 포함하고 있
지 않다. 그것으로 족했다.
　나는 일어났다.
「갈 거야?」
유이치가 어이가 없다는 듯 물었다.
「그래」
「어디로? 어디서 온 거야?」
나는 콧잔등에 주름을 모으고, 장난하듯 말했다.
「분명히 말해 두는데, 이건 현실 속의 밤이라구」
그랬더니 말이 멈추지 않았다.

「나, 이즈에서 택시 타고 왔어. 있지 유이치. 난 유이치를 잃고 싶지 않아. 우린 내내, 아주 외롭기는 하지만 푸근하고 편한 곳에 있었어. 죽음은 너무 버거우니까, 젊은 우리는 아무것도 모르고 그럴 수밖에 없었지. ……앞으로 나와 함께 있으면 괴로운 일이며 성가신 일, 지저분한 일도 보게 될지 모르지만, 만약 유이치만 좋다면, 둘이서 더 힘들고 더 밝은 곳으로 가자. 건강해진 다음이라도 좋으니까, 천천히 생각해 봐. 이대로 사라지지 말고」

유이치는 젓가락을 놓고, 똑바로 내 눈을 쳐다보며 말했다.

「이런 돈까스 덮밥은 두 번 다시 먹을 일이 없겠지. ……아주 맛있었어」

「응」

나는 웃었다.

「전체적으로 멋대가리가 없었지. 이 다음에 만날 때는, 좀더 남자답고, 힘찬 모습을 보여줄 테니까」

유이치도 웃었다.

「눈앞에서 전화번호부 찢고?」

「그래 그래, 자전거도 번쩍 들어올려 던져주고」

「트럭 밀어서 벽에다 내던지고」

「그래서야 단순한 폭군이지」

유이치의 웃는 얼굴이 반짝반짝 빛나고, 나는 자신이

〈무언가〉를 몇 센티미터 밀었을지도 모른다는 것을 안다.

「그럼 갈게. 택시가 도망가겠어」

그렇게 말하고 문으로 향했다.

「미카게」

유이치가 불러세운다.

「응?」

내가 돌아보자,

「조심해」

라고 유이치가 말했다.

나는 웃으며 손을 흔들었고, 이번에는 멋대로 문을 열고 바깥 현관으로 나가 택시 쪽으로 뛰었다.

여관에 도착하자 이불 속으로 파고들어, 언 몸을 녹이려 난방을 그냥 켜두고 푹 잠들었다.

……복도를 타닥타닥 뛰는 슬리퍼 소리와, 여관에 묵고 있는 사람들 소리에, 반짝 눈을 떴더니, 날씨가 완전히 돌변해 있었다.

큼지막한 새시 창 밖은 온통 무거운 회색 구름으로 덮혀 있고, 눈발 섞인 세찬 사람이 불어대고 있었다.

나는 어젯밤 일이 꿈만 같아, 멍한 머리로 일어나 불을 켰다. 춤추는 눈발이 창 밖으로 뚜렷하게 보이는 산들로 흩날리는 가루를 뿌린다. 나무가 윙윙 신음소리를 내며 흔들린다. 방 안은 더울 정도로 따뜻하고, 하얗고, 밝다.

다시 이불 속으로 파고 들어가, 나는 그 얼어붙을 듯 힘찬 눈발을 바라본다. 볼이 달아오른다.

에리코 씨는 이제 없다.

──그 광경 속에서, 나는 이번에야말로 정말로 안다. 유이치와 내가 어떻든, 인생이 아무리 길고 아름답든, 그녀는 이제 더 이상 만날 수 없다.

오들오들 강가를 걷는 사람들, 차 지붕으로 하얗게 쌓이기 시작한 눈, 나무들이 좌우에서 고개를 젓고, 마른 나뭇잎을 흩날린다. 은빛 새시가 차갑게 빛난다.

이윽고 선생이,

「사쿠라이 씨!, 일어났어? 눈이야, 눈!」

이라고 소란을 떨며 일으키러 오는 소리가 문 너머에서 울린다.

나는, 네라고 대답하고 일어났다. 옷을 갈아입는다. 다시 현실 속의 하루가 시작된다. 거듭거듭 시작된다.

마지막 날은, 시모다에 있는 프티 호텔에서 프랑스 요리를 취재하였다. 우리는 스태프와 호화판 저녁 식사를 즐기며 뒤풀이를 하었다.

모두들 어찌된 셈인지 일찍 자는 사람들뿐이라 올빼미형인 나는 뭔가 미진하여, 각자 자기 방으로 해산한 다음 혼자서 해변으로 산책하러 나갔다.

코트를 단단히 껴입고, 스타킹도 몇 겹 껴 신었는데 외치고 싶을 정도로 춥다. 나는 캔커피를 사서 주머니에 넣고 걸었다. 무척 따뜻하다.

차가운 바람이 윙윙 불어대고, 머리가 짜릿해지는 밤 속, 해변으로 이어지는 어두운 계단을 내려갔다. 모래가 싸늘하고 파삭거렸다. 나는 캔커피를 마시면서 해변을 따라 죽 걸었다.

끝없는 어둠에 싸여 있는 바다와, 철썩철썩 파도 소리를 울리는 울퉁불퉁한 바위 자락을 보고 있자니, 왠지 애처롭고 감미로운 기분이 들었다.

앞으로도, 즐거운 일과 괴로운 일이, 얼마든지 있을 것이다. ……가령 유이치가 없어도.

나는 조용히 생각했다.

저 멀리서 등대불이 돌고 있다. 빙글 돌아 이쪽을 향하고, 다시 멀어져, 파도 위로 빛나는 길을 만든다.

그래, 그래 라고 고개를 끄덕이고, 콧물을 흘리며 나는 호텔 방으로 돌아갔다.

방에 있는 간이 포트로 물을 끓여놓고, 뜨거운 물로

샤워를 하고서 옷을 깨끗이 갈아입고 침대에 앉아 있는데 전화 벨이 울렸다. 수화기를 들자, 프론트 보이가 말했다.

「전화가 와 있습니다. 잠시 기다려주십시오」

창 밖, 내려다보이는 호텔 정원, 어두운 잔디밭, 그리고 하얀 문. 그 너머에는 조금 전까지 거닐었던 싸늘한 해변이 있고, 검은 바다가 꿈틀거리고 있다. 파도 소리가 들린다.

「여보세요」

유이치의 목소리가 날아든다.

「겨우 찾아냈네, 고생했다구」

「어디서 거는 거야?」

나는 웃었다. 마음이 느긋하게 풀어진다.

「도쿄」

라고 유이치가 말했다.

그 말이 모든 것의 대답이라고 느꼈다.

「오늘이 마지막 날이야. 내일 돌아가」

내가 말했다.

「맛있는 거 많이 먹었어?」

「응, 생선회에다 새우에다, 멧돼지고기, 오늘은 프랑스 요리. 며칠 사이에 살이 다 쪘어. 아, 그러고 보니나, 와사비 절임하고 장어 파이하고 녹차가 꽉꽉 들어 있는 상자를 택배로 부쳤는데. 가지러 가도 괜찮아」

「왜 새우하고 생선회는 없는 거야?」

라고 유이치가 말했다.

「그런 건 보낼 방법이 없잖아」

라고 말하며 나는 웃었다.

「좋아, 내일 역으로 마중 나갈 테니까, 사서 손에 들고 와. 몇 시에 도착한다구?」

유이치가 명랑하게 물었다.

방은 따뜻하고, 끓는 물에서 피어오르는 김이 퍼진다. 나는 도착 시각과 몇 번 홈인지를 설명했다.

달빛 그림자

히토시는 조그만 방울을 전철표를 넣는 지갑에 매달아, 항상 지니고 다녔다.

그것은 우리들 사이가 사랑으로 영글지 않았을 때, 내가 정말 아무 뜻 없이 준 건데, 마지막까지 그의 곁을 떠나지 않는 운명을 짊어졌다.

고등학교 2학년 때 수학 여행을 준비하면서, 서로 다른 반이었던 우리는 여행위원으로 알게 되었다. 정작 여행 때는 반별로 반대 코스를 돌게 되어, 내려가는 신칸센만 같이 탔다. 홈에서 우리는 장난을 치면서 헤어짐이 아쉬워 악수를 하였다. 나는 그때 집에서 기르는 고양이 목에서 떨어진 방울이 주머니 속에 들어 있다는 것이 문득 생각나, 작별 선물, 이라며 건넸다. 그는 이게 뭐야, 라고 웃기는 했지만 함부로 다루지 않고 소중하게 손수건에 쌌다. 그 나이 또래의 남자 아이한테는 어울리지 않는 행동이라서 나는 무척 놀랐다.

사랑이란, 그런 것이다.

그것이 나한테 받은 특별한 것이라 해도, 그가 바르게 자라 다른 사람한테 받은 물건을 함부로 다루지 못한다 해도, 순간적으로 그렇게 한 태도에 나는 상당히 호감을 품었다.

그리하여 방울은 마음을 통하게 했다. 만날 수 없는 여행 내내, 서로 방울에 신경이 쏠려 있었다. 그는 방울이 울릴 때마다 나와, 내가 있었던 여행 전의 나날을 알게 모르게 떠올렸고, 나는 먼 하늘 아래서 울리고 있을 방울과, 방울과 함께 있는 사람을 생각하며 지냈다. 돌아와서 일대 연애가 시작되었다.

그로부터 어언 4년 동안, 방울은 모든 낮과 밤, 모든 사건을 함께 하였다. 첫키스, 말다툼, 개이고 비 오고 눈 온 날들, 함께 지낸 첫 밤, 모든 웃음과 눈물, 좋아했던 음악과 텔레비전 프로그램——둘이서 있었던 모든 시간을 공유하면서, 히토시가 지갑 대신 그 전철표지갑을 내미는 손과 함께, 늘 딸랑딸랑 조그맣고 투명한 소리로 울렸다. 귓전을 맴도는 사랑스런, 사랑스런 소리다.

그런 기분이 들었다는 말 따위, 나중이면 얼마든지 할 수 있는 소녀의 감상이다. 그러나 나는 말한다. 그런 기분이 들었다고.

늘 이상했다. 히토시는 때로 아무리 빤히 쳐다보고 있어도 그 자리에 없는 듯한 기분이었다. 자고 있을 때도, 나는 어째서인가 몇 번이나 그의 심장에 귀를 갖다 대지 않을 수 없었다. 웃는 얼굴이 너무도 환하게 빛나면 눈동자를 조아리고 보았다. 그는 늘 그 분위기와 표정에 어떤 유의 투명감을 지니고 있었다. 그래서, 이렇게 허망하고 불안하게 느껴지는 것이리라고 줄곧 생각하고 있었는데, 만약 그게 예감이었다면 이 얼마나 애처로운 일인가.

애인을 잃은 것은 긴 인생, 그래봐야 20년 정도지만, 에서 첫 경험이었고 나는 숨이 멎는가 싶을 만큼 고통스러워했다. 그가 죽은 밤부터 나의 마음은 다른 공간으로 이동하여 좀처럼 원래 자리로 돌아오지 않는다. 도저히 옛날 같은 시점으로 세계를 볼 수가 없다. 머리가 불안정하게 떠올랐다가는 가라앉아 침착하지 못하고 멍하니 늘 괴롭다. 사람에 따라서는 평생에 한번도 하지 않아도 좋을 일(임신 중절, 물장사, 큰 병치레 등) 중 하나에 이렇게 참가하게 된 것을, 그저 유감스럽게 생각한다.

그야 아직 우리는 젊었고, 인생의 마지막 사랑이 아니

었을지도 모른다. 그래도 우리는 두 사람 사이에서 난생
처음으로 여러 가지 드라마를 보았다. 사람과 사람이 깊
이 관여하여 보게 되는, 다양한 사건들의 축적을 확인하
면서, 하나하나 알아가면서 4년을 쌓아갔다.

　지금은 큰 소리로 말할 수 있다.

　하느님 바보. 나는 히토시를 죽도록 사랑했습니다.

　히토시가 죽은 지 두 달, 나는 매일 아침 그 강에 걸
려 있는 다리 난간에 기대어 뜨거운 차를 마셨다. 잠을
잘 수가 없어서 새벽에 조깅을 시작하였고, 거기가 바로
되돌아오는 지점이었다.

　무엇보다 밤이면 잠들기가 무서웠다. 아니 눈뜰 때의
충격이 감당할 수 없었다. 퍼뜩 눈을 뜨고 자기가 지금
어디에 있는지를 알 때의 깊은 어둠에 떨었다. 나는 항
상 히토시와 연관된 꿈을 꾸었다. 숨막히고 옅은 잠 속
에서 히토시를 만나기도 하고 만나지 못하기도 하면서, 항
상 이건 꿈이고 실제로는 두 번 다시 만날 수 없다는 것
을 알고 있었다. 그래서, 잠 속에서도 눈을 뜨지 않으려
고 애썼다. 몸을 뒤척이고 식은땀을 흘리면서, 토할 듯
한 우울 속에서 멍하니 눈을 뜨는 추운 새벽이 몇 번이
었던가. 커튼 너머가 밝아지고, 파르스름하게 숨쉬는 시
간 속에 나는 방치된다. 이럴 거면 차라리 꿈속에 있는

세 나았다고 생각할 만큼 외롭고 춥다. 더 이상 잠들지 못하고 홀로 꿈의 여운 때문에 허덕이는 새벽이다. 항상, 그 시간에 눈을 뜬다. 제대로 잠을 자지 못해서 지칠 대로 지치고, 아침의 첫 빛을 기다리는 길고도 광기처럼 고독한 시간에 공포를 느끼기 시작한 나는 달리기로 마음먹었다.

비싼 트레이너 셔츠를 두 벌이나 사고 운동화를 사고, 마실 물을 넣는 조그만 알루미늄 마호병까지 샀다. 물건부터 사들인 점이 언짢았지만, 미래를 향하는 일이라 용납하기로 했다.

봄방학이 시작되자마자 나는 달리기 시작하였다. 다리까지 갔다가 집으로 돌아오면 수건과 옷을 깨끗하게 빨아 건조기에 넣고 돌렸다. 그러고서 아침을 준비하는 엄마를 거들었다. 그런 다음 조금 잔다. 그런 생활을 계속하였다. 밤에는 친구를 만나거나 텔레비전을 보면서 가능한 한 여유 시간이 생기지 않도록 필사적으로 노력하였다. 그러나 무모한 노력이었다. 정말 하고 싶은 일은 하나도 없었다. 히토시를 만나고 싶었다. 하지만, 나는 어떻게든 손과 발과 몸과 마음을 움직이지 않으면 안 되었다. 안 될 것 같은 기분이 들었다. 그리고 그런 노력을 무심히 계속하면 언젠가는 무슨 돌파구가 생길 것이라고 생각하고 싶었다. 보장할 수는 없지만 그때까지 어떻게든 버티자고 다짐하였다. 개가 죽었을 때도, 작은 새가 죽었을 때도, 대개는 이런 식으로 버텼다. 이번은 특별한 경우다. 아무런 전망도 없이 바삭바삭 메말라가는 나날이 지나간다. 나는 기도하는 마음으로 계속 뛰었다.

괜찮아, 괜찮아, 언젠가는 여기서 벗어날 날이 올 거야.

돌아오는 지점인 강은, 도시를 대충 둘로 가르는 큰 강이다. 하얀 다리가 걸려 있는 그 장소까지 20분 정도 걸렸다. 나는 그 장소를 좋아한다. 강 너머에 사는 히토시와 늘 만나던 곳도 거기였다. 그가 죽은 후에도 나는 그곳을 좋아한다.

아무도 없는 다리에서, 강물 소리를 들으며 마호병에서 뜨거운 차를 따라 천천히 마시고 쉰다. 하얀 둑이 하염없이 이어지고, 파란 새벽 안개로 도시의 풍경이 아른하게 보인다. 투명하고 싸늘한 공기 속에서 그렇게 서 있으면 자신이 아주 조금은 〈죽음〉 가까이에 있는 것처럼 생각되었다. 실제로 그 혹독하고 투명하고 고독한 풍경 속에서만 나는 편히 숨쉴 수 있었다. 자학, 이 아니다. 왜냐하면 그 시간이 없으면 나는 그날 하루를 제대로 보낼 자신이 일지 않았기 때문이다. 지금의 나한테는 절실하게 그 풍경이 필요했다.

그날 새벽에도 무슨 나쁜 꿈을 꾸다가 퍼뜩 눈을 떴다. 5시 반이었다. 날이 맑을 듯한 새벽이면 나는 항상 옷을 갈아입고 밖으로 나가 달렸다. 아직 어둡고, 아무도 없다. 공기는 차갑고, 도시는 뿌옇다. 하늘은 짙은 군청색이고, 동쪽에서부터 붉은 기가 엷디엷게 퍼져나오고 있다.

나는 쾌활하게 달리려 애썼다. 때로 숨이 가빠지면, 잠도 제대로 못 자는데 이런 식으로 달리는 것은 자신의 몸을 괴롭히는 일일 뿐이라는 생각도 들었지만, 돌아가면 잘 거니까, 라며 불투명한 머리로 애써 지웠다. 잠잠한 도시를 빠져나갈 때면 정상적인 의식을 유지하는 것조차 힘들었다.

강물 소리가 다가오고, 하늘이 시시각각 변화한다. 파랗게 밝아오는 하늘을 통하여, 아름답고 맑은 하루가 찾아온다.

나는 다리에 도착하면 늘 버릇처럼 난간에 기대어, 파란 공기 속에 가라앉아 있는 뿌연 도시를 멍하니 바라보았다. 콸콸 힘차게 흐르는 강물 소리가 울리고, 하얗게 거품을 일으키며 모든 것을 씻어간다. 땀이 잦아들고, 얼굴로 차가운 강바람이 분다. 아직은 추운 3월의 하늘에 투명한 반달이 비스듬히 떠 있다. 숨이 하얗다. 나는 강을 보면서 마호병 뚜껑에 차를 따라 마시려 하였다.

그때,

「무슨 차? 나도 좀 마시고 싶은데」

뒤쪽에서 목소리가 들려 나는 깜짝 놀랐다. 너무 놀라 마호병을 강에 떨어뜨리고 말았다. 손에는 뚜껑에 담긴 김이 모락모락 오르는 차 한 잔이 남았다.

여러 가지 가능성을 생각하면서 돌아보자, 한 여자가 웃는 얼굴로 서 있었다. 나보다 나이가 많다는 것은 알겠는데 어쩐 일인가 나이를 가늠할 수 없었다. 고작해야 스물다섯 정도…… 단발 머리에 눈동자가 아주 투명했다. 얇은 옷에 하얀 코트를 입었는데도 전혀 추위를 느끼지 않는 듯 소리없이, 정말 나도 모르는 사이에 그녀는 거기에 서 있었다.

그러고는 조금은 달큰한 비음 섞인 목소리로 반갑다는 듯,

「지금, 그림이든가, 이솝이든가, 개 이야기하고 참 비슷하네」

라고 웃으면서 말했다.

「그 경우는」

나는 담담하게 말했다.

「물에 비친 자신의 모습을 보고 뼈를 놓쳤잖아요. 가해자는 없었어요」

그녀가 미소지으며,

「그럼 다음에 마호병 사줄게요」

라고 말했다.

「고맙네요」

라면서 나도 웃어보였다. 그녀가 너무 자연스럽게 말해 나는 무섭지 않았고, 나까지 별 일 아니라고 생각하고 말았다. 더구나 그녀는 머리가 약간 이상한 사람이나, 새벽녘의 술주정뱅이와는 분위기가 달랐다. 그녀는 지적이고 그 눈동자는 맑고, 마치 이 세상의 슬픔도 기쁨도 모두 삼켜버린 뒤 같은 깊은 표정을 지니고 있었다. 팽팽하게 긴장한 공기가 그녀와 함께하고 있었다.

나는 차를 한 모금 마셔 목을 축이고 나머지를,

「여기 있어요. 푸알차(녹차를 누룩으로 발효시킨 차——옮긴이)」

라며 그녀에게 내밀었다.

「아, 그 차 굉장히 좋아해」

라며 그녀가 가느다란 손으로 뚜껑을 받아들었다.

「지금, 막 여기 도착했어요. 꽤 멀리서 왔거든」

여행자 특유의 고양된 반짝이는 눈으로 그녀가 말하고 수면을 내려다보았다.

「관광으로?」

이렇게 아무것도 없는 곳에 뭣하러 왔을까 싶어 내가 물었다.

「네. 알아요? 얼마 안 있으면 백 년에 한번뿐인 볼거리가 있다는 거」

　그녀가 말했다.

　「볼거리?」

　「그래요. 조건이 갖춰지면」

　「어떤 조건?」

　「아직은 비밀. 하지만 꼭 가르쳐줄게요. 차를 나눠주었으니까」

　그녀가 그렇게 말하고 웃어, 나는 우물쭈물 그 다음 질문은 하지 못했다. 다가오는 아침 기운이 온 세계를 가득 채운다. 빛이 하늘의 파랑에 녹고, 희미한 광휘가 공기층을 하얗게 비춘다.

　나는 슬슬 돌아가자 싶어,

　「그럼」

　이라고 말했다. 그러자 그녀는 맑은 눈동자로 똑바로 나를 보면서,

　「난, 우라라, 넌?」

　이라고 말했다.

　「사츠키」

　라고 나는 내 이름을 일렀다.

　「조만간 다시 만나요」──우라라는──그렇게 말하고 손을 흔들었다.

　나도 손을 흔들고 다리를 떠났다. 그녀는 묘했다. 그

녀가 하는 말은 뭐가뭔지 이해힐 수 없었지만, 아무래도 평범하게 생활하는 인간 같지 않았다. 점차 달리는 속도를 늘이자 의문도 깊어지고, 왠지 불안하여 돌아보자, 우라라는 아직 다리에 있었다. 강을 내려다보는 옆얼굴이 보였다. 나는 놀랐다. 그녀의 얼굴이 내 앞에 있던 때와는 전혀 달랐기 때문이다. 나는 그렇듯 엄숙한 인간의 표정을 본 적이 없었다.

내가 멈춰 섰다는 걸 알자 그녀는 다시 미소지으며 손을 흔들었다. 나도 당황하여 손을 흔들고 다시 뛰기 시작했다.

——대체 어떤 사람일까. 나는 잠시 생각했다. 밝아오는 아침 속에서 드디어 졸려오는 머리로 우라라란 그 불가사의한 여자의 인상만이 눈부시게 부각된 날이었다.

히토시한테는 아주 유별난 동생이 있었다. 그는 사고 방식이나 사물을 대하는 방식이 조금씩 묘했다. 나는 처음 그를 봤을 때부터, 마치 다른 차원에서 성장하여 철이 든 순간, 달랑 내던져진 그곳에서 살아가는 식의 삶이라고 생각해 왔다. 이름은 히라기라고 한다. 죽은 히토시의 친동생이고, 이번 달에 열여덟 살이 되었다.

히라기는 약속 장소인 백화점 4층 찻집에 세일러복 차림으로 나타났다.

나는 사실은 좀 창피했지만, 그가 너무도 예사롭게 찻집으로 들어오길래 평정을 가장했다. 나와 마주하여 앉자 잠시 숨을 돌리고,

「기다렸어?」라고 물었다.

내가 고개를 젓자 밝게 웃었다.

그가 주문을 하자, 웨이트리스는 그를 빤히, 빤히 위에서 아래로 죽 훑어보고는 신기하다는 듯, 네, 라고 말했다.

얼굴은 별로 닮지 않았지만 히라기의 손가락이며, 사소한 표정의 변화에 나는 심장이 멎을 뻔하곤 했다.

「앗」

나는 그때 일부러 소리내어 말했다.

「왜 그래?」

라며 한 손에 컵을 든 히라기가 나를 본다.

「다, 닮았어」

라고 내가 말한다. 그러면 그는 항상 〈히토시 흉내〉라면서 히토시를 흉내냈다. 그리고 둘이서 웃었다. 그렇게 두 사람은 마음의 상처를 희화하며 노는 정도밖에 달리 길이 없었다.

나는 애인을 잃었지만, 그는 형과 애인을 동시에 잃었다.

그의 애인의 이름은 유미코. 그와 같은 나이에 테니스

를 잘 치고 키가 조그만 미인이었다. 나이가 비슷해 넷이서 사이좋게 놀러다니곤 했었다. 히토시네 집에 놀러 가면, 히라기 방에 유미코 씨가 있어 넷이서 밤을 새워 가며 게임을 한 적도 헤아릴 수 없이 많다.

그 밤, 히토시는 히라기를 찾아온 유미코 씨를, 나가는 길에 역까지 태워다 준다고 같이 나갔다가 사고를 당했다. 그에게 잘못은 없었다.

그러나, 둘 다 그 자리에서 깨끗하게 즉사하고 말았다.

「조깅, 하고 있어?」
히라기가 물었다.
「응」
내가 말했다.
「조깅하는 셈 치고는 살이 좀 찌신 것 같은데」
「낮에는 꼼짝 않고 집에 처박혀 있으니까」
나도 모르게 웃었다. 사실 나는 다른 사람들이 보면 확실하게 알 수 있을 정도로 야위어가고 있었다.
「운동한다고 건강이 다 보장되는 건 아니야. 참. 무지무지하게 맛있는 튀김 덮밥 하는 집이 동네에 새로 생겼는데. 칼로리도 있고. 먹으러 가자. 지금 당장」
그가 말했다. 히토시와 히라기는 성격은 전혀 달랐지만, 그래도 올바르게 자란 데서 오는 이런 허심탄회한 친절이 자연스럽게 몸에 배어 있었다. 마치 방울을 살며시 손수건에 싸는, 그런 친절이었다.

「응, 좋아」

나는 말했다.

지금 히라기가 입고 있는 세일러복은 유미코 씨의 유품이다.

그는 사복을 입는 고등학교에 다니는데, 그녀가 죽고부터는 그 세일러복을 입고 등교하고 있다. 유미코 씨는 이 옷을 좋아했다. 양쪽 부모님이 모두, 그렇게 하면 유미코 씨가 기뻐할 리 없을 거라고 치마 입은 남자를 만류하였다. 그러나 히라기는 웃으며 말을 듣지 않았다. 그때 내가, 그 옷 감상으로 입는 거니? 라고 묻자 그는, 그런 게 아니야. 죽은 사람은 돌아오지 않고, 현실은 현실이지, 라고 대답했다. 그렇지만 차분해진다고.

「히라기 너, 언제까지 그 옷 입고 다닐 거야?」

라고 묻자,

「모르겠어」

라고 말하며 다소 침울한 표정을 지었다.

「모두들 이상하다고 하지 않니? 학교에서, 이상한 소문 안 생겨?」

「아니, 그런 게 나아」

그가 그렇게 말했다.

「동정표가 굉장해, 여자애들이 얼마나 좋아하는데. 치마를 입으면 역시 여자 기분을 알아줄 것 같아서일까」

「그거, 다행이로구나」

나는 웃었다. 유리창 너머 매장에서는 손님들이 신나게 시끌거리며 지나간다. 봄옷이 조명을 받으면서 죽 진열돼 있는 백화점의 모든 것이 행복해 보인다.

지금은 잘 안다. 그의 세일러 복은 나의 조깅이다. 똑같은 역할을 하고 있는 것이다. 나는 그만큼 유별난 인간이 아니라서 조깅으로 충분할 뿐이다. 그는 조깅 정도로는 전혀 효과가 없고 자신을 지탱하기에 부족하여 변주로 세일러복을 선택했다. 양쪽 다 시든 마음에 활력을 불어넣는 수단에 지나지 않는다. 기분을 다른 데로 돌려서 시간을 버는 것이다.

나나 히라기는 요 두 달 사이에, 십여 년을 살면서 한번도 지어본 적이 없는 표정을 짓게 되었다. 그것은 잃어버린 것을 아쉬워하시 않으려 싸우는 표정이었다. 문득 떠올라 불현듯 고독이 밀려오는 어둠 속에 서 있다 보면 알게 모르게 그런 표정이 되고 만다.

「저녁 밖에서 먹을 거면, 집에다 전화할게. 아아, 히라기는? 집에서 먹지 않아도 돼?」

내가 일어서려고 하자 히라기가,

「아 참, 그렇지. 오늘 아버지 출장가셨지」

라고 말했다.

「엄마 혼자 계셔? 그럼 집에 가야지」

「아니, 일인분만 집으로 배달시키면 돼. 아직 이른 시간이니까 아무것도 준비 안했을 거야. 돈은 미리 지불하고, 저녁 식사는 아들이 한 턱 내지 뭐」

「제법 귀여운 기획인데」

라고 내가 말하자,

「기운이 날 것 같은데」

신난다는 듯 히라기가 웃었다. 이런 때, 평소에는 어른스러운 이 소년이 나이에 어울리는 얼굴이 된다.

어느 겨울 날, 히토시가 말했다.

「동생이 있는데, 히라기라고 해」

그때 처음으로 그한테 동생 이야기를 들었다. 당장이라도 눈이 내릴 듯, 무거운 회색 하늘 아래, 우리는 학교 뒤켠에 있는 긴긴 돌 계단을 내려오고 있었다. 오버 주머니에 손을 집어넣고, 하얀 숨으로 히토시가 말했다.

「그런데 어째 나보다 어른스러워」

「어른이야?」

나는 웃었다.

「뭐랄까, 배짱이 두둑하다고나 할까. 그런데도 가족들

한테 무슨 일이 생기면 어린애 같은 게 우스워서. 어제, 아버지가 유리에 손을 약간 벴는데, 정말 겁을 먹고 바들바들 떨더라니까. 굉장했어. 하늘과 땅이 뒤집히기라도 한 것처럼. 너무 뜻밖이라서, 지금 생각났어」

「몇 살인데?」

「그러니까, 열다섯인가」

「히토시하고 닮았어? 만나보고 싶다」

「하지만 그 녀석, 굉장히 유별나니까. 형제라고 여겨지지 않을 정도. 만나보면 나까지 미움받을 것 같다. 그래, 진짜 이상한 녀석이야」

형다운, 아주 형답게 웃는 얼굴로 히토시가 말했다.

「그럼. 동생이 좀 이상하다는 이유 때문에 사랑이 흔들리지 않을 만큼 세월이 지난 다음에 만나게 해줄래?」

「아니 농담이야. 괜찮아. 틀림없이 사이좋게 지낼 수 있을 거야. 너도 좀 이상한 구석이 있잖아, 히라기는 선한 사람한테는 민감하니까」

「선한 사람?」

「그래」

히토시가 얼굴을 옆으로 돌린 채 웃었다. 그런 때는 늘 부끄러워했다.

계단은 경사가 심해, 저절로 발길이 급해졌다. 하얀 학교 건물 유리창에 저물기 시작한 겨울 하늘이 투명하

게 비쳐 있었다. 한 단 한 단을 밟는 검은 구두와 스타
킹과, 내 교복의 치맛자락을 기억하고 있다.

밖에는 봄내음 가득한 밤이 찾아와 있었다.
히라기의 세일러복이 코트 속으로 숨어 나는 조금 안
도하였다. 백화점의 불빛이 보도를 밝게 물들이고, 쉴새
없이 오가는 사람들의 얼굴도 하얗게 빛나 보인다. 바람
에서는 봄다운 달콤한 향내가 나는데 아직은 싸늘해서
나는 주머니에서 장갑을 꺼냈다.
「그 튀김집, 우리 집 바로 근처라서 좀 걸어야 돼」
라고 히라기가 말했다.
「다리 건너가지?」
라고 말하고 내가 잠시 침묵하였다. 다리에서 만난 우
라라란 사람이 떠오른 것이다. 그 이후에도 매일 아침
가는데, 만나지 못했다. ……고 멍하게 생각하고 있는
데, 갑자기 히라기가
「물론 집에 데려다 줄게」
라고 큰 소리로 말했다. 나의 침묵을, 먼 데까지 가야
하는 성가심으로 해석한 모양이었다.
「아니 괜찮아. 아직 시간이 이른 걸 뭐」
라고 당황하여 말하면서, 이번에는 마음속으로만, 〈다,
닮았다〉고 생각했다. 지금 그 말은 흉내낼 필요도 없이

히토시를 꼭 닮았다. 사람과 사람 사이의 균형을 절대로 무너뜨리지 않는 주제에, 반사적으로 친절을 베푸는 그 냉담함과 순진함에 나는 항상 투명한 기분이 되었다. 그 것은 투명한 감각이었다. 그 느낌을 지금 생생하게 떠올리고 말았다. 보고 싶고, 마음이 아팠다.

「며칠 전 새벽에 달리는데, 다리에서 좀 이상한 사람을 만났어. 그 생각이 났을 뿐이야」

걸으면서 내가 말했다.

「이상한 사람이라니, 남자야?」

「아니, 여자. 왠지 잊혀지지가 않아」

「흐음…… 또 만날 수 있으면 좋겠네」

「응」

나는 몹시 우라라를 만나고 싶었다. 한번밖에 만난 적이 없는 사람인데 다시 만나고 싶었다. 그런 표정——나는 그때, 심장이 멎을 것 같았다. 조금 전까지 부드럽게 미소짓던 그녀가 혼자가 되자, 비유하자면 〈인간으로 변신한 악마가 갑자기, 더 이상 모든 것에 마음을 허락해서는 안 된다며 자신을 훈계하는 듯한〉 표정이었다. 잊기 어렵다. 나의 고통이나 슬픔 따위 전혀 그에 미치지 못한다는 그런 기분이 들었다. 어쩌면 나는 아직 할 수 있는 일이 있을지도 모른다는 기분이 들게 한다.

도심을 벗어나는 넓은 네거리에서 나와 히라기는 거북함을 느낀다. 그곳은 히토시와 유미코 씨가 사고를 당한 현장이다. 지금도 차들이 끊임없이 오가고 있다. 빨간 신호라서 나와 히라기는 나란히 멈춰 섰다.

「땅귀신은 없으려나」

　히라기가 웃으며 말했지만 눈은 웃고 있지 않았다.

「그런 말 할 줄 알았어」

　나도 웃었다.

　라이트 빛이 교차하고, 빛의 강이 돌아온다. 어둠 속에 신호가 밝게 떠 있다. 여기서, 히토시가 죽었다. 은밀한 엄숙함이 찾아든다. 사랑하는 사람이 죽은 장소에서는 영구히 시간이 정지한다. 같은 위치에 서면 그 고통 또한 전해지리라고 사람들은 기도한다. 관광차 무슨 성 같은 데 가면, 가이드가 몇 년 전, 이곳은 누구누구가 걸었던 곳이다, 그러니 역사를 몸으로 느끼는 셈이라고 하던 말을 들을 때마다, 무슨 엉뚱한 소리야 싶었는데, 지금은 다르다. 알듯하다.

　이 네거리, 이 빌딩과 가게들이 있는 밤의 색채가 히토시의 마지막 풍경이다. 그리고 그것은 그렇게 먼 옛날이 아니다.

　얼마나 무서웠을까. 잠깐이라도 나를 생각했을까. ……지금처럼 달이 저 높은 하늘로 오를 쯤이었을까.

「파랑이다」

히라기가 내 어깨를 밀 때까지 나는 그저 망연히 달을 보고 있었다. 마치 진주처럼 차갑고 하얗고 조그만 빛이 너무도 예뻤다.

「거짓말처럼 맛있다」

나는 말했다. 그 아담하고 나무 냄새나는 새 가게에서, 카운터에 앉아 먹는 굴튀김 덮밥은 식욕이 되살아날 정도로 맛있었다.

「그치?」

히라기가 말했다.

「응. 맛있어. 살아 있기 잘했다 싶을 정도로 맛있어」

나는 말했다. 칭찬이 과해, 가게 아줌마가 카운터 너머에서 부끄러워할 정도로 맛있었다.

「그렇지! 사츠키는 분명 그렇게 말할 줄 알았어. 너의 입맛은 옳아. 맛있게 먹어주어서 정말 기쁘다」

웃으며 단숨에 그렇게 말하고서 그는 엄마한테 배달을 시키러 갔다.

나는 성격도 집요하고, 아직은 이 암울함에 발목잡혀 살아가지 않으면 안 되는 건 어쩔 수 없지만——하고 굴튀김 덮밥을 먹으며 생각했다. 히라기는 하루라도 빨리 세일러복을 입지 않고서도 지금처럼 웃을 수 있었으면 좋겠다고.

한낮. 느닷없이 전화가 걸려왔다.

나는 감기에 걸려 조깅도 못하고 침대에서 선잠을 자고 있었다. 따끈한 머릿속으로 벨 소리가 몇 번이나 파고들어와 침대에서 일어났다. 집에 아무도 없는지, 할 수 없이 나는 복도로 나가 수화기를 들었다.

「네」

「여보세요. 사츠키 씨 있나요?」

낯선 여자의 목소리가 내 이름을 불렀다.

「네? 전데요?」

고개를 갸웃하며 내가 말했다.

「아아, 나예요」

수화기 너머에서 그 사람이 말했다.

「우라라예요」

나는 깜짝 놀랐다. 이 사람은 언제나 나를 놀라게 한다. 전화가 걸려올 리가 없었다.

「불쑥 전화 걸어서 미안한데, 지금 시간 있으면, 나올 수 없나요?」

「네, 괜찮아요. ……그런데 어떻게? 어떻게 내 전화번호를 알았죠?」

나는 주춤주춤 물었다. 밖에서 전화를 거는지 차 소리가 들린다. 그녀가 후후, 웃는 것 같았다.

「어떻게든 알고 싶다고 생각하면 자연히 알게 돼요」

우라라는 주문을 읊듯 말했다. 그도 그런가, 싶을 징도로 당연하다는 듯.

「그럼, 역앞 백화점 5층, 주방용품 매장에서」

그렇게 말하고 전화를 끊었다.

평소 같으면 절대로 밖에 나가지 않고 집에서 쉴 정도로 몸이 안 좋았다. 전화를 끊고서, 아차 싶었다. 다리가 후들거렸고 열도 더 오를 것 같은 느낌이었다. 그런데도 나는 만나고 싶은 호기심에 나갈 준비를 서둘렀다. 마치 마음 저 깊은 곳에서 본능의 빛이 반짝이며 나가라고 명령한 것처럼, 망설이지 않았다.

나중에 생각해 보니, 그때 운명은 한 단도 헛디딜 수 없는 사다리였다. 단 한 장면을 빼놓아도 끝까지 올라갈 수 없다. 그리고 오히려 헛디디는 편이 쉬웠다. 그럼에도 나를 움직이고 있었던 것은 아마 죽어가는 마음속의 빛이었으리라. 그런 건 없는 편이 차라리 편히 잠들 수 있나고 여겼던 어둠 속의 빛이었다.

두꺼운 옷을 입고 자전거를 타고 갔다. 봄이 정말 오리란 믿음을 주는 따스한 빛에 에워싸인 한낮이었다. 막 태어난 바람이 불어와 기분이 상쾌했다. 가로수에도 어린 연둣빛 잎사귀가 돋아 있었다. 하늘에는 엷은 하늘색 구름이 저 먼 도시 너머까지 이어져 있었다.

그 싱그러움에 나는 파삭파삭 메말라 있는 자신의 내부를 느끼지 않을 수 없었다. 내 마음에는 도무지 봄의 훈풍이 불어들지 않는다. 비누 방울처럼 미끌미끌 표면에 비칠 뿐이다. 사람들은 모두 봄빛에 머리칼을 흩날리며 행복하게 스쳐 지나간다. 모든 것이 숨을 쉬고, 부드러운 햇살의 보호를 받으면서 찬란함을 더해 간다. 생명력으로 넘치는 아름다운 풍경 속에서 내 마음은 메마른 겨울 길과, 새벽녘의 강가를 그리워한다. 이대로, 사라져 버리고 싶다고 생각한다.

우라라는 죽 진열된 마호병을 등지고 서 있었다. 핑크색 스웨터를 입은 등을 쭉 펴고, 북적거리는 사람들 속에 있으니 내 또래 정도로밖에 보이지 않았다.

「안녕하세요!」

라고 인사하며 내가 다가가자,

「어머나, 감기?」

라고 그녀가 눈을 동그랗게 뜨고 물었다.

「미안해요. 알지도 못하고 불러내서」

「얼굴이 감기에 걸렸나」

나는 웃었다.

「응. 새빨개. 자 서둘러 골라요. 아무거나 마음에 드는 걸로」

마호병 쪽으로 몸을 틀면서 그녀가 말했다.

「글쎄, 역시 마호병이 좋을까? 아니면 들고 뛴다는 데 중점을 두고 가벼운 걸로 할까. 이건, 지난 번 떨어뜨린 것하고 똑같은 거. 아 참, 디자인만 보고 고르려면, 중국 물산 매장에 가서 중국제로 살까?」

너무도 열심히 그렇게 말해 나는 기쁜 나머지 스스로 느낄 정도로 얼굴이 빨개지고 말았다.

「그럼, 그 하얀 걸로」

나는 반짝반짝 빛나는, 조그맣고 하얀 마호병을 가리켰다.

「음. 손님, 눈이 높으시군요」

그렇게 말하며 우라라는 그것을 사주었다.

옥상 근처에 있는 조그만 찻집에서 홍차를 마시면서,

「이것도 가져왔어요」라며 그녀는 코트 주머니에서 조그맣게 접은 종이 봉투들을 꺼냈다. 나오고 또 나오고 하여 내가 어리둥절해하자,

「찻집 하는 사람한테서 좀 얻어왔지. 허브 차 각종, 홍차 각종, 중국차도. 이름은 겉에 씌어 있으니까, 재미삼아 끓여봐요」

「……고마워요」

나는, 말했다.

「아니, 소중한 마호병을 강물에 잠기게 한 건 바로

나야」

우라라가 웃었다.

맑게 개어 저 멀리까지 보이는 오후였다. 빛이 애처러
울 정도로 선명하게 거리를 비추고 있다. 구름 그림자가
거리를 빛과 그림자로 나누며 천천히 움직인다. 평화로
운 오후다. 코가 막혀 뭘 마시고 있는지 별 느낌이 없는
것 외에는 아무 문제도 없을 것처럼 여겨지는, 온화한
날씨다.

「그런데」

내가 말했다.

「정말 어떻게 전화번호 알았죠?」

「오래도록 혼자서 이곳저곳을 전전하며 지내다보면, 어
떤 부분의 감각이 동물처럼 예민해져요. 언제부터, 그런
게 가능해졌는지는 잘 기억나지 않지만. ……음, 그러니
까, 사츠키 씨네 번호는? 하고 생각하면, 전화번호 누를
때는 아주 자연스럽게 손가락이 움직이고, 대개는 맞아요」

「대개는?」

하고 나는 웃었다.

「그래요, 대개는. 틀렸을 때는 죄송합니다, 하고 웃으
면서 끊죠. 그러고는 혼자서 창피해해요」

그렇게 말하는 우라라가 웃고 있었다.

나는 전화번호를 조사하는 방법이 얼마든지 있다는 것

보다, 담담하게 말하는 그녀 쪽을 믿고 싶었다. 그녀는 사람을 그렇게 만든다. 나는 내 마음속의 어느 한 부분이 오랜 옛날부터 그녀와 알고 지내고 있었으며 재회가 반갑고 기뻐 울고 있는 것만 같았다.

「오늘 고마웠어요. 애인 같아서 기뻤어요」

나는 말했다.

「그럼, 애인한테 가르쳐주지. 우선 내일 모레까지는 감기 낫도록 할 것」

「왜요? 아아, 볼거리라는 게 내일 모레 있나요?」

「딩동댕동. 알겠어요? 다른 사람한테 말하면 절대로 안 돼」

우라라가 목소리를 약간 낮췄다.

「모레, 아침 5시 3분 전까지 지난 번 장소에 오면, 혹시 뭘 볼 수 있을지도 몰라요」

「뭐라니, 뭐요? 어떤 거? 보이지 않을 수도 있어요?」

나는 그저 의문의 홍수를 끼었는 수밖에 없었다.

「응. 날씨에 따라서도 다르고, 사츠키 씨의 컨디션에 따라서도 달라질 수 있고. 아주 미묘한 거라서 보장할 수는 없어요. 하지만 그냥 내 느낌인데, 그 강과 사츠키 씨는 무척 관계가 깊어서. 그러니까, 틀림없이 보일 거예요. 모레 그 시각은, 정말 백 년에 한번 꼴로 여러 가지 조건이 충족돼서, 어떤 장소에서 어떤 유의 아지랑이

가 보일지도 모르는 시간이거든요. 미안. 그럴지도 모르
겠다는 일뿐이어서」

무슨 뜻인지 설명을 이해할 수 없어 나는 고개를 갸웃
하였다. 그래도 오랜만에 왠지 가슴 설레었다.

「그거, 좋은 일이에요?」

「으─음…… 귀중하긴 하지만. 글쎄, 요는 네 마음
이지」

우라라가 말했다.

요는 내 마음.

지금 이렇게 위축되어, 자기를 지키기가 고작인.

「응, 꼭 갈게요」

나는 웃었다.

강과 나의 관계. 나는, 가슴이 철렁하였지만 바로 가
겠노라 생각하였다. 내게 그 강은, 히토시와 나의 국경
이었다. 그 다리를 떠올리면 거기에 서서 기다리는 히토
시도 보인다. 항상 내가 약속 시간에 늦어, 늘 그가 먼
저 기다리곤 했었다. 돌아오는 길에도 항상 우리는 거기
서 강을 사이에 두고 헤어졌다. 마지막에도 그랬다.

「이제 다카하시네 갈 거지?」

여전히 행복하고, 지금보다 투실투실 살쪄 있었던 나
와 히토시의 마지막 대화였다.

「응, 일단 집에 갔다가. 오랜만에 다 모이는 거야」

「안부 전해 줘. 그래봐야 남자들끼리 모여서 이상한 얘기만 할 테지만」

내가 말하자,

「그래서, 그러면 안 돼?」

라며 그는 웃었다.

하루 종일 노는 데만 정신이 팔려서, 발갛게 취해서, 우리는 조잘조잘 걸었었다. 오싹오싹 떨리는 겨울의 밤길은 호화로운 별하늘로 채색되어 있고, 나는 상쾌한 기분이었다. 바람이 두 뺨을 따끔따끔 찌르고, 별이 반짝인다. 주머니 속에서 꼭 잡은 두 손은 언제나 따스하고, 뽀송뽀송한 감촉이었다.

「아, 하지만 너에 대해서는 절대로 이상한 말 안할 거야」

불쑥 생각났다는 듯 그렇게 말하는 히토시가 우스꽝스러워서 나는 머플러에 얼굴을 묻고 웃음을 참았다. 그때 나는 4년이나 사귀면서 이렇게 좋아하다니 참 신기한 일도 있다고 생각하였다. 지금의 나는 그때의 나를 열 살이나 연하로 느낀다. 강물 소리가 희미하게 들리고 헤어짐이 아쉬웠다.

그리고 다리. 다리가 두 번 다시 만날 수 없는 이별의 장소가 되었다. 물이 콸콸 소리를 내며 춥게 흐르고, 강바람이 정신이 반짝 깨일 듯한 싸늘함으로 불어댔다. 선명한 물소리와 온 하늘 가득한 별 속에서 짧은 키스를 나누고, 즐거웠던 겨울 방학을 생각하면서 둘은 웃으며 헤어졌다. 밤 속으로 딸랑딸랑 방울 소리가 멀어져 갔다. 나도 히토시도 자상했다.

우리는 심한 싸움도 했고, 잠시 바람을 피우기도 하였다. 욕망과 사랑의 균형에 괴로워한 적도 있고, 너무 어려서 서로에게 상처를 입힌 일도 더러 있었다. 그러니까 늘 그렇게 행복했던 것은 아니다. 품이 많이 든 세월이었다. 그래도 4년이다. 그중에서도 그날은 끝나는 게 두려울 정도로 완벽한 하루였다. 겨울의 아름답고 투명한 대기 속, 모든 것이 너무도 아름답고 부드러운 하루의 여운처럼, 돌아본 히토시의 검은 재킷이 어둠에 녹아드는 모습을 기억하고 있다.

이 장면은 울면서 몇 번이나 되새긴 장면이다. 아니 생각날 때마다 눈물이 나왔다. 다리를 건너 쫓아가서, 가면 안 된다고 데리고 돌아오는 꿈을 몇 번이나, 몇 번이나 꾸었다. 꿈속에서 히토시는, 네가 못 가게 말린 덕분에 죽지 않았어, 라며 웃었다.

한낮에 이렇게 문득 떠올리면서도, 울지 않을 수 있게 된 것이 왠지 서글프다. 한없이 먼 그가, 점점 더 멀리로 가버리는 것만 같다.

강에서 보일지도 모른다는 그 무언가를, 절반은 농담으로 듣고 절반은 기대하면서, 우라라와 헤어졌다. 우라라는 방긋방긋 웃으면서 거리 속으로 사라졌다.

　혹 그녀가 거짓말쟁이고, 가슴 설레며 달려간 내가 어리석었다 해도 상관없다. 그녀는 내 마음에 무지개를 보여주었다. 뜻밖의 일을 기대하는 설레임이 되살아나, 내 마음에 바람이 들어왔기 때문에. 설사 아무 일도 일어나지 않는다 해도, 둘이서 나란히 차갑게 빛나는 강물의 흐름을 바라보면 기분이 좋으리라. 그것으로 족하다.

　마호병을 껴안고 걸으면서 나는 그렇게 생각했다. 자전거를 가지러 가려고 역을 빠져나가는 도중에 히라기를 발견하였다.

　대학생의 봄방학과 고등학생의 봄방학은 명백하게 다르다. 이 대낮에 사복 차림으로 거리를 어슬렁거린다는 것은 학교에 가지 않았다는 뜻이리라. 나는 웃었다.

　달려가 말을 거는 것은 주저할 일이 아니지만, 나는 열 때문에 모든 것이 귀찮아서 걷던 그 속도로 그쪽으로 걸어갔다. 그러자 때마침 그도 반대쪽으로 걷기 시작하여 아주 자연스럽게 내가 그의 뒤를 쫓아 거리를 걷는 꼴이 되고 말았다. 그의 걸음은 빠르고, 뛰고 싶지 않은 나는 좀처럼 쫓지 못한다.

　히라기를 관찰하였다. 사복을 입으니 그는 지나가는

사람들이 뒤돌아볼 만큼 멋진 남자였다. 검은 스웨터를 입고 당당하게 걸어간다. 키도 크고 손발이 길다. 경쾌하고 상큼하다. 과연 애인을 잃은 그가 갑자기 세일러복을 입고 학교에 나타나고, 그 옷이 그녀의 유품이란 것을 알면 여자애들이 그냥 놔두지 않을 것이라고, 걸어가는 그의 뒷모습을 보면서 생각했다. 형과 애인을 한꺼번에 잃다니, 그리 흔히 있는 일이 아니다. 비일상의 극치다. 나도, 만약 한가한 여고생이었다면 그를 자기 힘으로 갱생시키려고 사랑할지도 모르겠다. 한참 젊을 때 여자들은 그런 걸 무엇보다 좋아하므로.

그는 말을 걸면 웃는 얼굴이 된다. 나는 알고 있었다. 그래도 혼자 걸어가는 그에게 말을 걸기가 왠지 미안한 기분이었다. 타인이 할 수 있는 일이란 아무것도 없다는 생각도 들었다. 나는 몹시 지쳐 있는지도 모른다. 아무것도 똑바로 마음에 들어오지 않았다. 추억이 추억으로 보이는 곳으로, 하루라도 빨리 도망치고 싶었다. 하지만 아무리 달려도 그 길은 멀고, 앞 길을 생각하면 오싹 소름이 끼칠 정도로 외로웠다.

그때 히라기가 우뚝 멈춰 서기에 나도 그만 그 자리에 서고 말았다. 지금까지는 정말 미행이었어, 라고 웃으면서 말을 걸려고 걸어가다가——히라기가 보고 있는 것이 뭔지를 알고는 우뚝 걸음을 멈추었다.

그는 테니스 숍의 윈도를 쳐다보고 있었다. 그 담담한 표정으로 보아 그저 아무 생각 없이 바라보고 있음을 알 수 있었다. 그러나, 생각이 없는 만큼 그 행위의 깊이가 전해져 왔다. 갓 태어난 새끼 오리 같았다. 새끼 오리는 태어나면 처음으로 자기 눈에 보이는 움직이는 물체가 자기 엄마라고 생각하고 뒤뚱뒤뚱 따라간다. 그 모습이 새끼 오리한테는 아무렇지 않아도 보는 이의 가슴을 적신다.

이렇게 적신다.

봄빛 속에서, 인파에 섞여 그는 물끄러미, 물끄러미 윈도를 보고 있었다. 테니스 기구 옆에 있으면 그는 아릿한 기분이 되리라. 내가 히라기와 함께 있을 때만, 히토시를 닮은 만큼 차분해지는 것처럼. 그건 슬픈 일이다.

나도 유미코 씨의 시합을 본 일이 있다. 그녀를 처음으로 소개받았을 때, 분명 귀엽기는 한데 너무 명랑하고 온순한 보통 사람처럼 보여서, 그 유별난 히라기가 어떻게 그녀에게 매력을 느꼈는지 짐작이 안 갔다. 히라기는 유미코 씨한테 푹 빠져 있었다. 표면적으로는 여느 때의 히라기인데, 그녀 안의 무언가가 히라기를 사로잡고 있었다. 실력이 백중이었다. 그게 뭘까 싶어 히토시한테 물었다.

「테니스래」

라며 히토시가 웃었다.

「테니스?」

「응. 히라기 말로는 테니스를 굉장히 잘 친대」

여름이었다. 쨍쨍 햇볕이 따가운 고등학교 테니스 코
트에서, 나와 히토시와 히라기 셋이서 유미코 씨의 결승
전을 보았다. 그림자가 짙고, 목이 말랐다. 모든 것이
눈부셨던 시절의 일이다.

정말 굉장했다. 그녀는 전혀 다른 사람이었다. 내 뒤
를 사츠키 씨, 사츠키 씨 하며 졸졸 따라다니는 그녀와
는 다른 사람이었다. 나는 시합을 경이롭게 관전하였다.
히토시도 놀란 모양이었다. 히라기는 〈정말 굉장하지〉라
고 자랑스럽게 말했다.

그녀는 박력과 집중력으로 상대를 제압하고 인정사정
없이 몰아붙이는 강력한 경기를 펼쳤다. 그리고 실제로
도 강했다. 표정도 진지했다. 사람을 죽일 것 같은 얼굴
이었다. 그래도 마지막으로 쇼트를 성공시키고 이긴 순
간 제일 처음으로 히라기를 돌아보았을 때, 그 여린 얼
굴이 평소의 그녀였던 게 인상적이었다.

나는 넷이서 있으면 항상 재미있고 편안했다. 유미코
씨는 곧잘 이런 말을 하였다. 사츠키 씨, 영원히 같이

놀아요. 절대로 헤어지면 안 돼요. 너희들은 어떤데라고
내가 놀리면, 그야 물론, 이라며 웃었다.

그런데 이런 꼴인걸 뭐. 너무하다.

그는 지금, 내가 기억하고 떠올리듯 그녀를 생각하고
있지는 않으리라. 남자는 일부러 괴로워하지는 않는다.
그러나 그런 만큼 그의 전신이 눈동자가, 한 가지 말을
하고 있었다. 그는 결코 말로 하지는 않을 것이다. 그러
나, 그것은 말로 하자면 아주 힘든 말이다. 아주 고통스
러운. 그것은,

──돌아와 줘.

말이라기보다 기도였다. 나는 안타까웠다.

새벽의 다리 위에서 나도 혹 저렇게 보일까. 그래서
우라라가 내게 말을 건 것일까. 나도. ──나도, 만나고
싶다. 히토시를. 돌아와 주면 좋겠다고 생각한다. 최소
한, 작별의 인사라도 하고 싶었다.

나는 히라기를 만나면 오늘 봤다는 것을 말하지 않고
명랑하게 대하리라 다짐하고, 그대로 집으로 돌아갔다.

열은 신나게 올라갔다. 당연하다고 생각한다. 그냥 가
만히 있어도 상태기 안 좋은데 거리를 하염없이 어슬렁
거렸으니, 그렇게 되는 것도 당연하다 할 수 있으리라.

엄마는 철드느라고 열나는 거 아니냐며 웃었다. 나도 힘없이 웃었다. 나도 그렇게 생각한다. 생각해도 별 소용없는 사고의 독이 온몸으로 퍼진 것인지도 모른다.

그리고 그 밤에도 늘 그렇듯 히토시 꿈을 꾸다가 잠에서 깨어났다. 열을 뿌리치고 달려서 강으로 갔더니, 히토시가 서서, 뭐하는 거야 감기 걸렸는데, 라며 웃는 꿈이었다. 최악이었다. 눈을 뜨니 새벽이고, 여느 때 같으면 옷을 갈아입을 시간이다. 춥고, 오로지 추워서, 온몸은 펄펄 끓어오르는데 손발은 싸늘하게 식어 있었다. 오한이 들고, 욱신욱신 온몸이 아팠다.

나는 부들부들 떨면서 어스름한 어둠 속에서 눈을 뜨고 있었다. 내가 뭔지 모를 엄청나고 거대한 것과 싸우고 있는 듯한 기분이었다. 그러다 어쩌면 내가 질지도 모른다고, 난생 처음으로 그렇게 생각했다.

히토시를 잃었음이 아프다. 너무 아프다.

그와 서로 껴안을 때마다 나는 말이 아닌 말을 알았다. 부모도 아니고 나 자신도 아닌 타인과 가까이 있음의 불가사의함을 알았다. 그 손을, 가슴을 잃고, 나는 사람들이 가장 보고 싶어하지 않는 것, 사람들이 가장 만나기 싫어하는 깊은 절망의 힘과 만났음을 느꼈다. 외롭다. 몹시 외롭다. 지금이 최악이다. 지금이 지나면 아무튼 아침이 될 것이고, 폭소를 터뜨릴 만큼 재미있는 일도 있을 것이다. 빛이 있다면. 아침이 온다면.

언제나 언제나 그런 생각을 하면서 입술을 깨물었지만, 일어나 강으로 달려갈 기운도 없는 지금은 그저 고통스러웠다. 모래를 씹는 듯한 시간이 재깍재깍 흐른다. 지금 강으로 가면, 히토시가 꿈속에서처럼 서 있을 듯한 기분마저 들었다. 미칠 것만 같았다. 썩을 것 같았다.

나는 천천히 일어나 차를 마시려고 부엌으로 걸어갔다. 목이 몹시 말랐다. 열 탓에 온 집이 초현실적으로 뒤틀려 보였다. 가족이 잠들어 조용한 부엌은 오싹 춥고 어두웠다. 나는 휘청거리면서 뜨거운 차를 들고 내 방으로 돌아왔다.

그 차 덕분에 꽤 좋아진 듯한 기분이었다. 목을 축이자 호흡이 편안해졌다. 나는 상반신을 일으켜 침대 옆 창문의 커튼을 걷었다.

내 방에서는 대문과 정원이 보인다. 정원수와 꽃이 파란 공기 속에서 살살 흔들리며, 파노라마처럼 밋밋한 색채로 퍼져 보였다. 아름다웠다. 새벽의 푸르름 속에서는 모든 것이 이렇게 정화되어 보인다는 것을 나는 최근에 알았다. 그렇게 밖을 내다보다가, 나는 집 앞 길을 걸어 이쪽으로 오는 사람을 발견하였다.

점점 다가오자, 나는 꿈인가 싶어 몇 번이나 눈을 깜

박였다. 우라라였다. 파란 옷을 입고, 방긋방긋 웃으면
서 나를 보고 이쪽으로 걸어온다. 문 앞에 서서, 그녀는
들어가도 돼요? 라고 입을 움직였다. 나는 고개를 끄덕
였다. 그녀는 정원을 질러 창문 아래로 왔다. 나는 창문
을 열었다. 가슴이 쿵쾅거렸다.

「아— 춥다」

고 그녀가 말했다. 밖에서 싸늘한 바람이 들어와 따끈
따끈한 볼을 식혔다. 청렬한 공기가 맛있었다.

「어떻게 된 거예요?」

내가 물었다. 분명 나는 조그만 어린애처럼 신이 나
웃었을 것이다.

「아침 돌아가는 길에, 산책. 아직 감기가 낫지 않은
모양이네. 비타민 씨 사탕 줄게요」

주머니에서 사탕을 꺼내 나에게 건네주면서, 그녀는
아주 투명하게 웃었다.

「항상 받기만 하고 미안하네요」

나는 갈라지는 목소리로 말했다.

「열이 많이 있는 모양이야. 힘들죠?」

그녀가 말했다.

「네, 오늘 아침에는 조깅 못하겠어요」

나는 말했다. 나는 울고 싶은 심정이었다.

「감기는 말이죠」

우라라는 속눈썹을 약간 내리깔고 담담하게 말했다.

「지금이 가장 힘들 때예요. 죽는 것보다 더 힘들지도 모르죠. 하지만 아마 더 이상은 힘들지 않을 거예요. 그 사람의 한계는 변하지 않으니까. 언젠가 또 감기 걸려서, 지금처럼 아플 일이 있을지도 모르지만, 본인만 건강하면 평생, 없을 거예요. 그래, 그렇게 되어 있으니까. 그렇게 생각하면 지겨워서 넌더리가 날 수도 있겠지만, 이까짓쯤 하고 생각하면 덜 힘들지 않을까?」

그리고 웃으며 나를 보았다.

나는 잠자코 눈을 동그랗게 떴다. 이 사람은 정말 감기에 대해서만 말한 것일까. 무슨 소리를 한 것일까. ──푸르른 새벽과 열이 모든 것을 뿌옇게 만들어 나는 꿈과 현실의 경계마저 제대로 알 수 없었다. 그저 말을 마음에 새기면서, 말하는 우라라의 앞머리가 바람에 살랑살랑 흔들리는 것을 멍하니 쳐다보고 있었다.

「그럼, 내일 봐요」

라며 웃고는, 우라라는 천천히 밖에서 창문을 닫았다. 그러고는 스텝을 밟듯 가벼운 발걸음으로 대문을 나갔다.

나는 꿈속에 떠 있는 것처럼, 그 모습을 배웅하였다. 힘들었던 밤의 끝에 그녀가 찾아와 주어 나는 눈물이 나도록 고마웠다. 이 환상처럼 파란 안개 속으로 당신이 와주어, 꿈처럼 반가웠다고 전하고 싶었다. 어쩐지, 잠

에서 깨면 모든 것이 조금씩 좋아져 있을 듯한 생각마저
들었다. 그리고 잠에 빠져들었다.

눈을 뜨니 적어도 감기만큼은 조금 좋아져 있었다. 얼
마나 깊이 잤는지, 벌써 저녁이었다. 나는 일어나 샤워
를 하고 옷을 싹 갈아입고 드라이로 머리를 손질하였다.
열은 내렸고, 몸이 나른한 것만 제외하면 기운도 있었다.
정말 우라라가 왔던 것일까, 하고 나는 머리칼을 말리
는 열풍 속에서 생각했다. 꿈속으로 울리는 듯한 말이
었다.
예를 들면 거울에 비친 자신의 얼굴에 아직도 깊은 그
림자가 드리워 있어, 다시금 힘든 밤이 찾아오리라고 예
감케 한다. 생각하고 싶지 않을 만큼 지친다. 정말 지친
다. 그래도——기어서라도 빠져나가고 싶다.
예를 들면, 지금은 어제보다 조금 편히 숨을 쉴 수 있
다. 또다시 찾아올 숨도 쉴 수 없을 만큼 고독한 밤은
나를 진저리치게 한다. 인생이 그 반복이라고 생각하면
소름이 끼친다. 그런데도, 돌연 편히 숨쉴 수 있는 순간
이 분명 있어 나를 설레게 한다. 때로, 설레게 한다.
그렇게 생각하면 조금 웃을 수 있다. 열이 갑자기 내
려 나의 사고는 술주정뱅이 같다. 그때 돌연 노크 소리
가 들렸다. 엄만가 하고, 네라고 대답하자, 문이 열리고

히라기가 들어와, 놀랐다. 정말 놀랐다.

「어머니가 몇 번이나 불러도 대답이 없다고 해서」

히라기가 말했다.

「드라이어 소리 때문에 안 들렸어」

라고 내가 말했다. 막 머리를 감아 꼴이 말이 아니어서 당황했는데,

「전화를 걸었더니 어머니가, 사츠키 감기 걸려서 열이 펄펄 끓는다고 하길래 병문안 왔지」

라며 히라기는 조금도 개의치 않고 웃었다. 그러고 보니 히라기는 곧잘 히토시와 함께 우리 집에 놀러 왔었다. 동네 축제 때며, 야구를 보고 돌아오는 길이며. 그러니까, 거의 여느 때처럼 쿠션을 끄집어내 풀썩 앉았다. 잊고 있었던 건 나다.

「이건 선물」

히라기는 커다란 종이 봉투를 보이며 말했다. 나는 새삼스럽게 다 나았다고 말하기가 어려워, 일부러 기침을 콩콩 하지 않을 수 없을 정도로 그는 친절했다.

「누나가 제일 좋아하는 켄터키 치킨의 치킨 필레 샌드위치하고 셔벗, 콜라도 있고. 내 몫도 있으니까 같이 먹어」

별로 그렇게 생각하고 싶지는 않았지만 그는 마치 〈종기〉라도 다루듯 나를 대했다. 분명 엄마가 무슨 말을 했

으리라. 나는 부끄러웠다. 그렇다고, 난 아무 일 없어, 무슨 소리 하는 거야, 라고 말할 수 있을 만큼 상태가 좋은 것도 아니었다.

밝은 방, 따뜻한 스토브의 열기 속에서, 바닥에 앉아 우리는 그것들을 조용조용 먹었다. 나는 아주아주 배가 고팠던 것을 비로소 알고, 맛있게 먹었다. 나는 언제나 히라기 앞에서는 음식을 맛있게 먹는 듯하다. 그리고, 그건 아주 좋은 일이다.

「누나」

「왜?」

멍하니 그런 생각을 하고 있던 나는 히라기가 부르는 소리에 퍼뜩 얼굴을 들었다.

「혼자서, 그렇게 점점 야위어가고, 열까지 날 정도로 괴로워하면 안 돼. 그런 시간이 있거들랑 날 불러. 놀러 가자구. 만날 때마다 점점 초췌해지고 있는데, 다른 사람들 앞에서는 태연한 척하고 있다니, 무모한 에너지 낭비야. 히토시 형하고 누나는 정말 사이가 좋았으니까, 죽고 싶을 만큼 슬프겠지. 당연해」

그는 한꺼번에 그런 말들을 늘어놓았다. 나는 깜짝 놀랐다. 그가 이렇게 어린애처럼 나를 배려한 것은 처음이었다. 훨씬 더 쿨한 것을 좋아하는 아인 줄 알았는데, 너무도 뜻밖이라 오히려 순순히 마음으로 파고들었다. 히토시가, 가족하고 있을 때만 어린애로 돌아갈 수 있다며 훗훗 웃었던 그 기분을 정말 잘 알 수 있을 것 같았다.

「물론 난 아직 어리고, 세일러복을 입지 않으면 울고 말 정도로 듬직하지도 못하지만, 외로울 때 인류는 형제잖아. 난 누나를 한 이불에서 같이 자도 상관없을 만큼 좋아하니까」

그가 진지한 얼굴에 딱히 이상한 속내를 털어놓는 것 같지도 않아, 역시 이상한 애로군, 이라고 생각하며 나는 터져나오는 웃음을 참지 못했다. 그리고 마음으로 말했다.

〈그럴게. 징밀 그렇게 할게. 고마워. 정말이지 고마워.〉

히라기가 돌아간 후 나는 또 잤다. 감기약 때문인지, 오랜만에 편안하게, 꿈도 꾸지 않고 깊이 잠들었다. 어렸을 적 크리스마스 이브처럼 가슴이 두근거리는 신성한 잠이었다. 잠에서 깨면, 우라라가 기다리는 다리로, 그 무언가를 보러 간다.

동트기 전.

몸이 완전히 회복된 것은 아니었지만 나는 옷을 갈아입고 밖으로 나가 뛰었다.

꽁꽁 얼어붙을 듯 차가운 달그림자가 하늘에 어려 있

는 새벽이었다. 달리는 내 발소리가 조용한 파랑에 울려
퍼지고, 소리없이 빨려들어 거리로 사라졌다.

다리에는 우라라가 서 있었다. 내가 도착하자, 주머니
에 손을 넣고 머플러에 얼굴을 절반쯤 묻은 채, 빛나는
눈동자로 웃었다.
「안녕」
별이 하나둘, 꺼질 듯 하얗게, 청자 같은 하늘에서 반
짝이고 있었다.
시리도록 아름다운 광경이었다. 강물 소리는 세차고, 공
기는 청명하다.
「몸까지 파란색으로 물들 것처럼 파랗네」
손을 공중에 비춰보며 우라라가 말했다.
바람에 바스락바스락 흔들리는 나무들 그림자가 엷게
어린다. 천천히 하늘이 움직인다. 달빛이 어슴푸레한 새
벽 어둠으로 스민다.
「시간이야」
우라라의 목소리가 긴장하였다.
「잘 들어요. 지금부터 여기의 차원과 공간과 시간과, 그
런 것들이 흔들리거나, 어긋날 거예요. 나랑 사츠키 씨
가 나란히 서 있어도 서로 보이지 않을지도 모르고, 전
혀 다른 것을 볼 수도 있을 거예요. ……강 너머로. 절

대로 소리를 지르거나, 다리를 건너면 안 돼요. 알았죠?」

「네」

나는 고개를 끄덕였다.

그리고 침묵이 찾아왔다. 물소리만 콸콸 울리는 가운데, 우라라와 나란히 건너편 강기슭을 바라보고 있었다. 가슴이 두근거리고, 다리가 떨렸다. 조금씩, 날이 밝아온다. 파란 하늘이 물색으로 변하고, 재재거리는 새 소리가 조금씩 커진다.

나는, 귓속으로 희미하게 어떤 소리를 들은 것 같았다. 흠칫 놀라 옆을 보니 우라라는 없었다. 강과, 나와, 하늘과──그리고 바람과 강물 소리에 섞여, 귀에 익는 반가운 소리가 들렸다.

방울. 틀림없다. 그것은 히토시의 방울 소리였다. 딸랑딸랑, 아무도 없는 그 공간으로 방울 소리가 울렸다. 나는 눈을 감고 바람 속에서 그 소리를 확인하였다. 그리하여 눈을 뜨고 강 건너를 보았을 때, 요 두 달 사이의 그 어느 때보다 심하게 자신이 미쳤다고 느끼지 않을 수 없었다. 터져나오는 외침을 억지로 참았다.

히토시가 있었다.

강 건너, 꿈이나 광기가 아니라면, 이쪽을 향하고 서있는 사람은 틀림없는 히토시였다. 강을 끼고──그리움

이 북받쳐오르고, 그 모습 전체가 마음속에 있는 추억의
초상과 초점을 맞춘다.

그는 파르스름한 새벽 안개 속에서, 이쪽을 보고 있었
다. 내가 엉뚱한 짓을 저질렀을 때 흔히 짓는 걱정스러
운 표정이었다. 주머니에 손을 찔러넣은 채 똑바로 쳐다
보고 있었다. 나는 그 가슴속에서 지낸 시간들을 가깝고
도 멀리 느꼈다. 우리는 그저 쳐다만 보았다. 둘을 가로
막는 그 격렬한 흐름을, 그 먼 거리를, 사그라드는 달을
지켜보고 있었다. 내 머리칼과, 그리운 히토시의 셔츠깃
이 강바람에 꿈처럼 살랑살랑 흩날렸다.

히토시, 나랑 얘기하고 싶어? 나는 히토시랑 얘기가
하고 싶어. 곁에 있고 싶고, 껴안고 재회를 기뻐하고 싶
어. 하지만 하지만——눈물이 넘쳐흘렀다——운명은 이
미, 나와 너를, 이렇게 강의 이편과 저편으로 갈라놓고
말았고, 나는 어떻게 할 방법이 없어. 나는 눈물을 흘리
면서, 그냥 보고 있을 수밖에 없다. 히토시도 슬픈 눈동
자로 나를 쳐다본다. 시간이 멈추면 좋겠다고 생각한다
——그러나, 새벽 첫 빛이 지상을 비췄을 때 모든 것은
천천히 희미해져 갔다. 보고 있는 내 눈앞에서 히토시가
멀어진다. 내가 당황하자, 히토시가 웃으며 손을 흔들었
다. 몇 번이나 몇 번이나 손을 흔들었다. 파란 어둠 속
으로 사라져간다. 나도 손을 흔들었다. 그리운 히토시, 그

사랑스런 어깨와 가슴선 모든 것을 내 눈 안에 각인하고 싶었다. 그 어슴푸레한 풍경도, 뺨을 타고 내리는 뜨거운 눈물도, 모든 것을 기억에 새기고 싶다고 바랐다. 그의 가슴선이 잔상으로 공중에 비친다. 그는 천천히 엷어지고, 그리고 사라졌다. 눈물 속에서 나는 사라지는 그를 쳐다보았다.

완전히 보이지 않자, 모든 것이 원래대로 돌아갔다. 아침의 다리. 옆에 우라라가 서 있었다. 살이라도 에어내는 것처럼 슬픈 눈동자로.

「봤어요?」

「봤어요」

눈물을 닦으면서 나는 말했다.

「감격했어요?」

우라라가 내 쪽을 보며 웃었다. 내 마음에도 안심이 번지고,

「감격했어요」

라며 미소지었다. 빛이 비치고, 아침이 오는 그 장소에, 둘이 한참이나 서 있었다.

아침부터 문을 여는 도넛 숍에서 뜨거운 커피를 마시면서, 조금은 졸린 눈으로 우라라가 말했다.

「나도, 비정상적으로 죽은 애인과, 마지막 작별을 할

수 있지 않을까 싶어서 이 도시에 왔어요」

「만났어요?」

나는 물었다.

「응」

우라라는 살며시 웃으며 대답했다.

「정말 백 년에 한번 꼴로, 우연히 겹치고 겹쳐서 그런 일이 생기는 경우가 있어요. 장소도 시간도 정해져 있지 않죠. 알고 있는 사람들은 칠석 현상이라고 해요. 큰 강이 있는 곳에서만 생기죠. 사람에 따라서는 전혀 보이지 않아요. 죽은 사람이 이 세상에 남긴 사념과, 남은 사람의 슬픔이 서로 반응했을 때 아지랑이가 되어 보이는 거예요. 나도 처음 봤죠. ……사츠키 씨는, 아주 운이 좋았어요」

「……백 년이란 말이죠」

나는 그 상상하기 어려울 만큼 낮은 확률을 생각했다.

「여기 도착했을 때, 미리 좀 봐두려고 거기 갔는데, 사츠키 씨가 서 있었어요. 틀림없이 누군가를 잃었을 거라고, 동물 같은 느낌으로 알았죠. 그래서, 말을 건 거고」

아침 햇살에 머리칼을 드러내고, 그렇게 말하며 웃는 우라라는 소리없는 조각상처럼 흔들림이 없었다.

이 사람은 정말 어떤 사람일까. 어디서 와서 어디로 가는 걸까. 그리고 아까 강 건너로 어떤 사람을 보았을까······. 물을 수가 없었다.

「이별도 죽음도 힘들죠. 하지만 그게 마지막인가 싶지 않을 정도의 사랑은, 여자한테는 심심풀이 시간 죽이기도 못 돼요」

우라라는 도넛을 오물오물 먹으면서 일상이라도 얘기하듯 그렇게 말했다.

「그러니까, 오늘 제대로 작별 인사를 나눌 수 있어서, 다행이라고 생각해요」

그렇게 말하는 그녀의 눈동자가 아주아주 슬퍼 보였다.

「······네, 저도요」

나는 말했다. 그러자 우라라가 햇살 속에서 상냥하게 미소지었다.

손을 흔드는 히토시. 그것은 마음에 빛이 스미는 것처럼 가슴 아픈 장면이었다. 잘된 일인지, 사실은 아직 이해하지 못하고 있다. 다만 강렬한 햇빛 속에서, 그 여운에 가슴이 아플 따름이다. 숨쉬기 어려울 정도로 애달프다.

그래도, 그래도 그때 나는 눈앞에서 미소짓는 우라라를 보면서, 엷은 커피 향 속에서, 자신이 〈무언가〉에 아주 가까이 있음을 느꼈다. 바람에 창문이 덜컹덜컹 흔들린다. 그것은, 헤어질 때의 히토시처럼, 아무리 마음을 열고 눈에 힘을 주고 보아도 확실하게 지나가고 마는 것이다. 그 무언가는 태양처럼 어둠 속에서 강하게 빛나고, 나는 엄청난 속도로 그곳을 통과한다. 찬송가처럼 축복이 내리고, 나는 기도한다.

〈훨씬 더 강해지고 싶다〉고.

「이제 또 어디로 가는 거예요?」

가게를 나오며 내가 물었다.

「응」

그녀는 웃으며 내 손을 잡았다.

「언젠가 또 만나요. 전화번호 잊지 않을게」

그리고 사람들이 넘실거리는 아침 거리로 사라져갔다. 그 뒷모습을 보면서 생각했다.

나도 잊지 않아요. 내게 많은 것을 준 당신을.

「나, 얼마 전에 봤어」

라고 히라기가 말했다.

뒤늦게 생일 선물을 주러, 점심 시간에 모교를 찾아갔을 때의 일이다. 운동장 벤치에서 뛰노는 학생들을 보면서 기다리고 있는 나에게 달려온 그가 세일러복 차림이 아니라 눈을 동그랗게 뜨고 있었더니, 옆에 앉자마자 그렇게 말했다.

「뭘?」

「유미코」

그가 말했다. 나는 가슴이 철렁했다. 하얀 체육복을

입은 학생들이 흙먼지를 일으키며 눈앞을 지나갔다.

「엊그제 아침이었나」

그가 말을 이었다.

「꿈이었는지도 모르지. 끄덕끄덕 졸고 있는데 갑자기 문이 열리면서, 유미코가 들어왔어. 너무 자연스럽게 들어와서 죽었다는 것 그만 잊어버리고, 유미코? 라 그랬더니, 쉬— 라면서 집게손가락을 입에다 대고, 웃었어. ……역시, 꿈같아. 그러고는 내 방 벽장 열고 세일러복을 조심스럽게 꺼내서는 가지고 가버렸어. 안녕이라고 입을 움직이고, 웃으면서 손을 흔들고. 난 어째야 좋을지를 몰라서, 또 자버렸지. 역시 꿈일까. 그런데 세일러복이 없어. 아무리 찾아도 말이야. 난, 그만 울어버렸어」

「……그래」

나는 말했다. 혹 강가에서만 아니라, 그날이라면, 그 아침이라면 그런 일이 있었을지도 모른다. 이제 우라라는 없으니, 확인할 길이 없다. 그러나 그가 너무도 의연하여, 어쩌면 얘 굉장한 사람일지도 모르겠다는 생각이 들었다. 거기에서만 일어나는 현상을 직접 자기한테로 불러들였는지도 모른다.

「나, 머리가 좀 어떻게 된 걸까」

히라기가 농담조로 말했다.

봄날의 오후, 엷은 빛 속으로 점심 시간의 시끌벅적한

소리가 바람을 타고 들려온다. 레코드를 내밀고 웃으며 내가 말했다.

「그런 때는 조깅하면 좋아」

히라기도 웃었다. 빛 속에서 한참을 웃었다.

나는 행복해지고 싶다. 오랜 시간, 강바닥을 헤매는 고통보다는, 손에 쥔 한줌 사금에 마음을 빼앗긴다. 그리고, 내가 사랑하는 모든 사람들이 행복해지면 좋겠다고 생각한다.

히토시.

나는 이제 이 자리에 머물러 있을 수 없다. 시시각각 걸음을 서두른다. 시간의 흐름은 막을 수 없으니, 어쩔 수 없다. 나는 갑니다.

한 차례 여행이 끝나고, 또 다른 여행이 시작된다. 다시 만나는 사람이 있고, 만나지 못하는 사람이 있다. 나도 모르게 사라지는 사람, 스쳐 지나가는 사람. 나는 인사를 나누며 점점 투명해지는 듯한 기분입니다. 흐르는 강을 바라보면서, 살지 않으면 안 됩니다.

저 어린 시절의 흔적만이, 항상 당신 곁에 있기를 간절하게 기도합니다.

손을 흔들어주어서, 고마워요. 몇 번이나 몇 번이나, 흔들어준 손, 고마워요.

후기

　나는 옛날부터 오직 한 가지를 얘기하고 싶어 소설을
썼고, 그에 대해 더 이상 얘기하고 싶지 않아질 때까지
는 무슨 일이 있어도 계속 쓰고 싶습니다. 이 책은, 그
집요한 역사의 기본형입니다.

　극복과 성장은 개인의 혼의 기록이며, 희망과 가능성
의 전부라고 생각합니다. 나는, 격렬하게 혹은 차분하게
싸우면서 일상을 좋은 방향으로 이끌어 나가는 수밖에
없다고 생각하는 친구와 아는 사람이 많아, 사실은 그들
모두에게 나의 처녀작…… 이 단행본을 바치고 싶은 마
음입니다.

　여기 수록된 소설 세 편은 웨이트리스 생활 중에 썼습

니다. 근무 중에 다른 일을 해도 너그러운 눈길로 용서해 준 가키누마 도쿠지(柿沼德治) 점장, 동료들, 그중에서도 장정을 해주신 마스코 유미(增子由美) 씨, 늘 감사합니다. 그리고 「달빛 그림자」를 추천해 주신 일본대학 예술학부 소네 히로요시(曾根博義), 야마모토 마사오(山本雅男)교수님, 감사합니다. 기뻤습니다.

「키친」은 후쿠다케 출판사의 데라다 히로시(寺田博) 씨에게, 「만월」은 같은 후쿠다케 출판사의 네모토 마사오(根本昌夫) 씨에게, 「달빛 그림자」는 이 소설의 소재인 M. 올드필드의 같은 제목의 명곡을 소개해 준 요시카와 지로(吉川次郎) 씨에게 바칩니다. 그리고 〈책이 나왔다〉는 이 기쁜 사실을 고스란히 나의 아버지에게 바칩니다. 이리저리로 복잡하게 선사하여 죄송하지만, 괜찮으시다면 받아주세요. 감사하고 있습니다.

그리고, 아직 부족한 나의 소설을 읽어주신 독자 여러분, 조금이라도 더 건강한 나날이 되신다면, 더 이상의 행복은 없으리라 생각합니다. 언젠가 반드시 다시 만날 그날까지 아무쪼록 행복하게 지내시길 기원합니다.

요시모토 바나나

옮긴이의 말

행복한 환상과의 만남

우리들은 살아가면서 셀 수 있거나 혹은 셀 수 없는 여러 가지 상처를 안게 된다. 셀 수 있는 경우는 자기 안에서 인식되어 새 살이 돋을 수도 있겠지만 셀 수 없는 경우는 마치 카오스덩어리처럼 내면에 자리하고 앉아 자신과 주변을 괴롭힌다.

새 살이 돋는 경우, 그 과정은 여러 다양한 모습으로 표면화된다. 폭력 같은 반사회적인 과정도 있을 수 있고 언어나 음악, 미술 같은 예술 행위로 나타날 수도 있다. 이 과정을 표현하는 데 있어 요시모토 바나나는 가장 행복한 방법을 취하고 있는 듯하다.

요시모토 바나나의 초기 작품을 한마디로 정의한다면 〈상처 깁기〉라 할 수 있을 것이다. 그녀의 첫 작품집인 『키친』은 행복한 〈상처 깁기〉의 원형을 보여준다.

　졸업작품인 「달빛 그림자」에서 주인공 사츠키가 안고 있는 상처는 애인이 교통 사고로 죽었다는 것이다. 그녀는 죽은 애인의 기억과 잃어버린 사랑 때문에 불면에 시달리지만 어느 날 안개처럼 다가온 〈우라라〉라는 신비한 여인과의 만남으로 애인의 환영을 보고 마지막 작별 인사를 나눈다. 사츠키의 상처는 애인의 죽음을 확인하는 순간 현실로 인식되고, 다리(죽음과 삶의 경계, 이 세상과 저 세상의 경계) 위에서 헤매이던 의식도 다리 이쪽으로 돌아온다. 즉 새 살이 돋기 시작하는 것이다.

　이 작품에서 사츠키와 비슷한 아픔을 (그녀 역시 사랑하는 이를 잃었다) 안고 있는 〈우라라〉라는 여인은 오컬트적인 신비한 힘을 지닌 천사이며 영매이며 의사이다. 그녀의 다가옴, 그녀와의 교감, 그녀의 선처 속에서 사츠키의 상처는 그 자리를 인식하고 아물어간다.

　데뷔작인 「키친」과 그 후편인 「만월」에서도 이러한 〈상처 깁기〉의 과정은 되풀이된다.

　단 하나의 혈친인 할머니를 잃은 여자 주인공 미카게에게 살며시 다가가는 유이치. 유이치가 자기 엄마(실은 아버지이지만)를 잃자 반대로 이번에는 미카게가 유이치에게 다가간다. 비슷한 상처를 껴안고 있는 자들의 교감에서 태어난 새로운 사랑은 「달빛 그림자」에서 예감할 수 있는 히토시와 사츠키의 관계에서 발전된 형태로 행복한 〈상처 깁기〉의 완성을 의미할 것이다.

요시모토 바나나의 첫 작품집인 『키친』은 그녀의 전 작품을 관통하는 여러 가지 주제를 내포하고 있다는 점에서 중요하다. 그녀의 소설에서 문제 삼고 있는 기본적인 테마인 〈상처 깁기〉를 비롯하여, 우라라란 인간형에서 볼 수 있는 오컬트적인 요소, 또 사츠키와 히라기의 관계가 보여주는 근친상간적 요소(히라기는 사츠키의 죽은 애인인 히토시의 남동생이다), 유이치의 엄마이며 동시에 아버지인 에리코가 상징하는 양성 구유적인 요소 등, 모두가 바나나 문학의 근간을 이루는 것이다. 따라서 작품집 『키친』을 읽는 재미는 행복한 환상처럼 우리들의 상처를 소리없이 감싸안는 따스한 이들과의 만남, 동시에 요시모토 바나나 문학의 원형과의 만남에 있을 것이다.

1999년 1월
김난주

김난주

1958년 부산에서 태어났다.
경희대학교 국문과를 졸업하고 동 대학원을 수료하였다.
1984년 도일하였다.
1987년 쇼와(昭和)여자대학에서 일본 근대문학 석사학위를 취득하였고,
이후 오오츠마(大妻)여자대학과 도쿄대학에서 일본 근대문학을 연구하였다.
현재 일본 문학 번역가로 활동하며 명지대학교 사회교육원 번역작가 양성과에 출강하고 있다.
번역서로『일각수의 꿈』,『국경의 남쪽, 태양의 서쪽』,『노르웨이의 숲』,『미확인 미행물체』,
『돌아가지 못하는 사람들』,『N·P』,『멜랑코리아』,『먼 북소리』,『흔들림』,『위대한 세월』,
『바람의 노래를 들어라』,『1973년의 핀볼』,『가족 시네마』,『천국이 내려오다』
『타일』,『렉싱턴의 유령』,『재즈 에세이』등이 있다.

1판 1쇄 펴냄 1999년 2월 6일
1판 10쇄 펴냄 1999년 12월 31일

지은이 요시모토 바나나
옮긴이 김난주
펴낸이 박맹호
펴낸곳 (주) 민음사

출판등록 1966. 5. 19. 제 16-490호
서울 강남구 신사동 506번지 강남출판문화센터 5층 (우)135-120
대표전화 515-2000 팩시밀리 515-2007

ISBN 89-374-0317-X 03830